Sylvain Prudhomme

Les grands

Gallimard

Cet ouvrage a précédemment paru
dans la collection L'Arbalète aux Éditions Gallimard.

à Aurélie

*Les routes allaient dans trois directions,
toutes : les femmes, les vins, l'argent. Il fallait
être très con pour chercher ailleurs.*

SONY LABOU TANSI,
La vie et demie

I muri.

Zé au téléphone avait dit ces deux mots le plus doucement qu'il pouvait, en faisant tout son possible pour les rendre moins coupants.

I muri Couto, elle est morte – répétant *I muri* comme s'il avait craint que les deux mots n'aient pas suffi la première fois, comme s'il avait eu besoin lui-même de les dire à nouveau.

Couto tu m'entends tu ne dis rien.

Couto avait regardé la lumière de l'après-midi s'engouffrer par la petite lucarne de la chambre au sol couvert de lino sans âge ni couleur, regardé les paillettes de poussière suspendues dans le rayon de soleil et le plafond pourri d'humidité et les restes de bougies fondues sur le rebord de la fenêtre, le pot d'encens continuant de répandre son odeur âcre à côté du lit, la photo délavée de Zé et Malan et tous les autres euphoriques à la descente de l'hélicoptère à Bubaque, dans l'archipel des Bijagos, quelques heures avant le premier concert sur l'île, trente ans plus tôt.

Ses yeux avaient rencontré ceux d'Esperança allongée nue près de lui et instantanément il avait su qu'elle devinait, il l'avait vue replier les jambes, remonter le drap sur le triangle de son ventre comme sur quelque chose d'obscène à présent, s'enfoncer dans le lit en fermant les yeux.

Esperança tu es comme les chiens qui se terrent avant l'orage, avait pensé Couto, tu es bouleversante comme les bêtes qui sentent venir le tonnerre et longtemps avant les premiers grondements se pelotonnent contre les murs comme s'ils voulaient disparaître dans les parois de boue et de paille. Esperança nous n'étions que caresses et bouches et jambes mêlées n'écoutant que notre faim l'un de l'autre et nous voilà immobiles maintenant, ce drap remonté sur nous, froids tous les deux dans ce lit, toi et moi côte à côte. Esperança que ton sexe est bon disais-je, *bu panpana i sabi demais*, que ton sexe ta pomme cajou adorée est bonne et juteuse comme un bon fruit et que tes seins aussi que j'attrape et voudrais prendre dans ma bouche sont bons comme de bons fruits, et pareillement tu me disais en le prenant l'attrapant amoureusement Couto que ton sexe à toi aussi est bon, *bu obu i sabi demais*, je voudrais le voler l'emporter chez moi et même lorsque tu ne serais plus là je continuerais de l'avoir et de m'en servir en pensant à toi, ça me ferait plaisir.

Couto, avait continué de dire Zé au téléphone, et à présent sa voix était lointaine, irréelle, tout semblait suspendu alentour.

Qu'est-ce qui s'est passé.

On ne sait pas Couto.

Comment ça on ne sait pas.

Personne ne sait rien.

Qui te l'a dit alors.

Bruno.

Bruno ce vendu.

Arrête.

Couto s'était allongé sans rien dire et il avait attendu que la douleur vienne, attendu qu'éclose dans tout son corps la tristesse de la nouvelle. Mais ce n'était pas venu. Il n'y avait rien eu que cet engourdissement, cette torpeur qui l'avait lentement gagné et lui avait d'abord semblé le contraire d'une douleur, un effondrement par atonie plutôt, débranchement de tout son être devenu incapable de plus rien sentir, d'éprouver la moindre peine, de verser une larme, ses yeux désespérément secs, son souffle vaguement empêché seulement par quelque chose qui aurait aussi bien pu n'être qu'une profonde fatigue. C'était donc ça que lui faisait la mort de Dulce?

Qu'est-ce qui va se passer.

Il avait dit ça tout haut, à lui-même autant qu'à Zé.

Tu veux qu'on se voie, avait demandé Zé. Tu veux que je dise aux autres de venir à la maison.

Couto avait soufflé.

Je crois que j'ai plutôt envie d'être seul.

Il avait pensé à la lumière dehors. À l'ombre des arbres le long des ruelles en pente. Aux

15

parasols rouges et jaunes du marché de Bandim, qui devait grouiller de vie à cette heure.

Je crois que j'ai plutôt envie de sortir prendre l'air.

On n'a qu'à dire plus tard, avait dit Zé. En fin d'après-midi.

Couto avait dit oui.

Chez Diabaté.

Chez Diabaté, oui.

La pensée des tables en plein air lui avait fait du bien. Là-bas il savait qu'il ferait bon, qu'il aurait plaisir à retrouver les autres.

Il avait raccroché, s'était allongé.

Esperança s'était approchée de lui, avait passé la main dans ses cheveux, caressé lentement sa tête et ses tempes. Posé la main sur sa hanche comme une amarre, une façon de lui dire je suis là, je te tiens.

Esperança de grâce.

Esperança qui savait nommer chaque cheveu blanc de son crâne et le baptiser de noms glorieux, de noms de brave, mon Couto grisonnant et fou, mon vieillard noir et beau, mon Mandingue blanchi par les ans qui auras bientôt l'air d'un sage et qui n'es toujours dieu merci qu'un gamin.

Son haut et sa jupe étaient là, par terre, à côté de leurs slips abandonnés sur le lino. Affaissés, dérisoires. Boules de linge informes.

Elle savait comme lui ce que signifiait la disparition de Dulce. Quelle patience il leur faudrait à tous les deux avant que la nouvelle de cette mort se retire d'entre eux, s'estompe, les laisse à nouveau l'un à l'autre. Et il n'y avait rien à faire qu'attendre.

Cette diablesse de femme que tu aimeras toujours, disait-elle en riant les fois où passait une chanson de Dulce à la radio. Cette ensorceleuse contre laquelle je ne pourrai jamais rien.

La voix de Dulce ruisselait dans la pièce, planait entre les murs autour d'eux, enfantine, pleine de grâce.

Carros di botton sines, dissan na mbera.

Voitures aux belles banquettes de cuir,
Laissez-moi marcher tranquille.

Pouvant la revoir comme si elle avait été là devant lui sur scène, battant des mains comme autrefois, se retournant pour guetter ses riffs de guitare, lui sourire.

Cette diablesse qui toute la vie reviendra me prendre mon homme, me le voler le temps d'une chanson comme si je n'existais pas.

La voix de Dulce planait et Esperança s'approchait de Couto, le pinçait pour le réveiller.

Couto la serrait en riant. Lui disait d'écouter le solo de Tundu, les congas d'Armando. Levait le doigt pour lui faire entendre une note qu'il jouait lui et dont il était fier, une note qui dissonait juste ce qu'il fallait avec le reste de l'orchestre, est-ce qu'elle l'entendait, là maintenant, cette note en majeur alors que tout le monde à ce moment-là est en mineur, ah si elle avait pu le voir sur scène alors avec ses cheveux sa barbe son pantalon moulant, ah si elle avait pu le connaître beau comme autrefois, elle qui voulait bien l'aimer un peu aujourd'hui alors qu'il n'était plus qu'un vieux machin.

Esperança se foutait de sa note à lui, se foutait qu'il ait eu la barbe et porté des pantalons moulants.

Cette diablesse qui n'a qu'à chanter dix secondes pour venir te reprendre.

Ses hanches chaloupaient en rythme, ses bras se nouaient et se dénouaient au-dessus de ses épaules pour l'appeler.

Allez viens là contre moi. Venez là monsieur Couto le guitariste joueur de notes majeures.

Elle l'attirait contre elle, sa bouche était chaude, ses baisers profonds.

Esperança aux mots crus, aux mots drus, qui les premiers temps le fouettaient de désir. Sa façon de lui dire *mistiu*, je te veux, j'ai envie de toi en créole, *mistiu* glissé à l'oreille d'une voix filoute, dénouant déjà son pagne pour s'offrir aux caresses. Y avait-il seulement un mot mandingue pour dire ça? Un vrai mot plein de désir capable de faire à celui ou celle qui l'entendait l'effet que faisait ce *mistiu*? Un mot qui n'était pas purement technique, ne servait pas d'abord pour parler des animaux et ne revenait pas plus ou moins à dire je voudrais m'accoupler avec toi ou je voudrais te saillir ou quelque autre énormité tout juste bonne à faire rire?

Qu'est-ce que vous allez faire.

Couto avait remonté le drap sur lui.

Qu'est-ce que tu voudrais qu'on fasse.

Vous allez jouer quand même?

Couto avait pensé au concert prévu le soir, à toutes les répétitions des semaines précédentes.

Il avait laissé ses yeux errer au plafond de la petite chambre, glisser lentement le long des parois gondolées d'humidité, s'arrêter sur la fine raie noir et blanc de chaque chiure de lézard accrochée aux murs.

Piaule minable, avait-il pensé en ramenant ses genoux contre son ventre. Nid misérable de couple roulé dans ses draps sales, ses draps pauvres.

Il avait senti la main d'Esperança sur son front, bienfaisante, réparatrice.

Esperança aussi noire que Dulce autrefois était claire et changeante. Esperança terre ferme quand tout en Dulce était fêlé, sauvage.

Il l'avait sentie allongée près de lui, senti l'odeur de ses cheveux, de ses épaules, des huiles dont elle enduisait son corps, des gris-gris dont elle truffait leur chambre dès qu'il tournait le dos. Il y avait ceux qu'il repérait, noix de kola, citrons séchés, cauris parfumés déposés bien en évidence sur le rebord de la fenêtre, à côté du pot d'encens. Et puis il y avait la multitude de ceux dont il devinait seulement la présence, gonflant la doublure d'un coussin, bouchant la lézarde d'un mur. Il ne les cherchait pas, ne regardait jamais sous le lit ni derrière les meubles. Simplement il savait qu'ils étaient là, décelables à l'odeur un peu sure qu'ils diffusaient, odeur de pourriture, de corne, d'eau de Cologne tournée.

Parfois, au retour d'un concert, il trouvait une noix de palme dans sa poche. Ou son pied nu se posait sur un osselet qui lui piquait la plante. Il poussait un juron, se baissait pour le ramasser, le jetait au loin dans les bananiers.

Hé! disait Esperança. Tu sais que c'est notre bonne étoile que tu fous comme ça par la fenêtre.

Esperança qui savait tous les sortilèges.

Couto avait regardé la photo punaisée au mur en face de lui, l'une des seules qu'il ait conservées de toutes ces années-là. L'une des plus anciennes aussi : 1977, la première des trois années fastes qu'ils avaient eues, avant que le groupe éclate. On y sentait l'euphorie des débuts, l'émerveillement d'être là, parmi les palmiers de Bubaque, au début d'une tournée qui devait pour la première fois les conduire au Cap-Vert, au Mozambique, au Portugal, à Cuba. Ils venaient à peine de descendre de l'hélicoptère, le photographe leur avait dit de poser là, devant les arbres, sans cérémonie.

Dulce se tenait au centre, seule femme parmi les musiciens du groupe, la plupart barbus, plus hauts qu'elle d'une bonne tête, plus vieux aussi de cinq ou six ans. Debout entre les silhouettes foutraques de Couto et Miguelinho, les deux préposés aux guitares rythmiques, elle regardait timidement l'objectif, gamine un peu raide, jupe droite et chemisier blanc d'écolière, cheveux ras de garçon.

Atchutchi, le chef d'orchestre, et Malan, un des chanteurs, l'avaient entendue à une cérémonie trois mois plus tôt, dans un village. Un chœur de vieilles femmes chantait près d'une maison en s'accompagnant à coups de navettes en bois. Par intervalles une voix leur répondait, les provoquait. Une voix aiguë, enfantine, au phrasé léger, qui sans forcer un seul instant dominait toutes les autres et avec autorité les relançait. C'était Dulce.

Tu sais lire la musique?

C'était tout ce qu'Atchutchi avait trouvé à lui demander à la fin, avec son sérieux d'ingénieur naval tout frais revenu de la guerre du Mozambique. Bien sûr elle n'avait jamais tenu la moindre partition, jamais entendu parler du Super Mama Djombo, jamais mis les pieds à l'União Desportiva de Bissau où le groupe jouait chaque week-end, jamais assisté d'ailleurs au moindre concert dans le moindre club de Bissau. Et bien sûr aussi tout le monde s'en foutait. Elle était venue à une répétition et du jour au lendemain ç'avait été comme si leur musique à tous se cabrait, prenait son envol, cessait d'appartenir au monde de l'effort, du labeur. Des mois qu'ils n'étaient qu'entre hommes, le créole dit *matchus*, dans la salle mal ventilée de l'UDIB. Et voilà qu'elle leur était arrivée dans sa jupe d'étudiante, avec sa voix claire, désarmante de naturel, tout entière dans la gorge, à plat. Voix d'enfant guerrière et rieuse. De gamine qui chantait dans l'allégresse, sans effet, sans calcul.

Ce jour-là, Armando aux percussions et Zé à la batterie s'étaient arrachés comme des diables.

Bande de coqs, avait rigolé Couto.

Armando s'était lancé dans son solo de *Mortos Nega* et ses bras nus s'étaient mis à courir d'un fût à l'autre, fouettant les peaux, lâchant sur elles des volées de coups sauvages, revenant brusquement à des caresses.

Eh Armando fais gaffe! avait dit Chico, le bassiste. Tu vas encore pisser rouge!

Les petits vaisseaux des paumes et des doigts qui éclatent, le sang qui s'en va finir tout droit dans l'urine. Tous les joueurs de congas connaissent ça. La dernière fois qu'Armando avait accepté d'accompagner une première partie avant un concert du groupe, il avait joué cinq heures d'affilée. La soirée terminée il avait filé aux toilettes, en était ressorti penaud.

Les salauds. Du bissap. On aurait dit du bissap.

Mais que pouvait bien lui foutre ce jour-là de pisser rouge.

Attends un peu, ils vont voir, avait ri Miguelinho.

Il avait planté son coude dans le ventre de Couto et s'était lancé lui aussi, remonté comme un cabri, suivi de Chico. Le morceau avait duré douze minutes au lieu de quatre, ils avaient tiré en longueur comme des cochons, incapables de s'arrêter, lamentables.

Brava Dulce, avait dit à la fin Atchutchi. Seulement je ne sais pas si on va pouvoir te garder. Je ne les ai jamais vus me mettre une telle pagaille.

Elle avait commencé à venir plus souvent, gagné en aisance au micro, s'était habituée à chanter en même temps que Malan, ajoutant sa couleur, devinant d'elle-même à quels moments rester en retrait et se contenter de doubler les chœurs d'un simple fredonnement, à quels moments au contraire oser une phrase qui les étourdissait tous de grâce.

Un soir de concert la petite Dulce était devenue Dulce tout court, connue de la ville entière, célébrée même par un journaliste qui ne s'était pas trompé en l'appelant *la nouvelle arme secrète du Mama Djombo*.

Le lendemain du concert à Bubaque il y en avait eu un deuxième, dans un minuscule bar de la ville, une soirée qui s'était éternisée et où Couto avait bien cru que la bière aidant ce chacal de Chico allait lui brûler la politesse. Mais le matin au réveil, c'était sa nuque à lui que Dulce était venue effleurer en se levant. C'était lui qu'elle avait suivi lorsqu'il lui avait soufflé *bin no bay*, viens on s'en va, un peu hésitant d'abord, puis comme elle le regardait toujours sans comprendre allez viens on file vite d'un ton plus pressant, *bin no kapli kinti-kinti*, viens on se tire tout de suite avant que les autres se réveillent.

Un sept-places était passé et ils avaient sauté dedans. Miguelinho était sorti à ce moment, avait juste eu le temps de les voir agiter la main par la vitre du taxi.

Hé! qu'est-ce que vous foutez!

Le sept-places n'était pas allé bien loin: l'île ne faisait pas dix kilomètres de long. Ils étaient descendus dans un virage et s'étaient retrouvés seuls au bord du goudron défoncé, en face de la mer, seuls incroyablement tôt, ne se connaissant qu'à peine, n'ayant jamais passé plus de dix minutes en tête à tête. Les deux mètres qui les avaient séparés au début, sans que ni l'un ni l'autre ne se décide à les franchir. Couto la suivant sur la plage dans la lumière étourdissante, imaginant la brûlure à chaque pas sous ses pieds nus. L'imaginant réchauffée tout entière, attisée comme les pierres brûlantes de Varela sur lesquelles gamin il s'allongeait après la baignade. La faim avec laquelle ses yeux s'étaient promenés sur son corps d'abord, émerveillés de savoir que tout à l'heure ces épaules ces reins seraient à lui, que la seule présence de Dulce sur cette plage voulait dire cela: je vais être à toi, tu vas m'avoir toute.

Allez Couto, debout.

Esperança s'était redressée à côté de lui, avait repoussé le drap, s'était penchée pour attraper ses habits au pied du lit.

Debout monsieur le guitariste.

Cet enfoiré de Miguelinho s'était vengé en écrivant justement ce jour-là sa plus belle chanson. Julia je te cherche, disaient les paroles adressées à la fille qu'il avait aimée de toutes ses forces avant de la perdre, emportée par la grippe. Julia je te cherche, et je te vois partout. Dans chaque nouvelle femme que je rencontre. Dans chaque belle chose que mes yeux voient. Dans Carlotta qui en a eu marre et m'a quitté. *Carlotta bu fasin lembra di nha morta, bu fasin lembra di Julia.* Carlotta tu me rappelais ma morte. Tu me rappelais Julia.

À leur retour le lendemain Couto et Dulce les avaient trouvés en plein travail. Ils étaient restés tous les deux muets tellement c'était beau, tellement tout coulait, la batterie de Zé soulignant à peine les accents de la voix de Miguelinho, la guitare solo de Tundu étirant doucement les notes en les nimbant de brume, les autres se taisant, restant simplement là à attendre, comme eux, sans bouger.

Il va falloir que vous vous échappiez plus souvent, avait rigolé Atchutchi. Allez on la refait.

Et de nouveau la voix de Miguelinho. De nouveau ses mains puissantes sur le ventre de la guitare tenue en travers de son torse comme un jouet, mains de docker, de forçat, mains de tout ce qu'on voulait mais pas de guitariste, pas en tout cas de guitariste capable de ça, cette douceur, cette tristesse. De nouveau son jeu calme et ce rictus à son grand visage carré, grimace de douleur, d'irréparable blessure.

Debout, allez!

Esperança avait enfilé son haut. Couto l'avait regardée, avait souri de la voir décoiffée, sa perruque de travers, ne tenant plus que par une épingle. Il avait tendu le bras et la lui avait ôtée, découvrant ses cheveux ras.

Couto!

Décoiffée elle avait l'air nue, vraiment nue.

Il l'avait enlacée.

Qu'est-ce que tu viens de faire, avait-il demandé.

Qu'est-ce que je viens de faire quoi.

Là tout de suite pendant que je pensais à autre chose.

Il avait allongé le bras pour attraper la main d'Esperança sous l'oreiller, l'avait forcée à s'ouvrir. Dans sa paume il avait vu les coquillages nacrés comme de la porcelaine.

Pas encore ces machins, c'est pas vrai.

Il l'avait attirée contre lui comme un crocodile sa proie, la forçant à revenir se coller de toute la longueur de son corps au sien.

Monsieur le guitariste se réveille, on dirait.

Elle avait déposé les cauris sur la petite table près du lit. Ils avaient tinté doucement.

Esperança. Ses seins son ventre étaient chauds, étaient bons.

Embrasse-moi.

Elle avait enroulé les jambes autour des siennes pour le serrer.

Fais-moi l'amour allez.

Couto avait senti renaître l'odeur de leurs

sexes mêlés plusieurs fois déjà dans l'après-midi. Odeur douceâtre, vaguement obscène. Odeur bonne.

Fais-moi l'amour couillon.

Ils avaient joui vite, elle d'abord, puis lui, pauvrement, sans joie. Ils avaient laissé le silence les écraser. Ils s'étaient sentis tristes.

Dehors la ville se réveillait de la sieste. C'était l'heure où la chaleur a passé son pic, le soleil commence à décliner, la lumière redevient douce. Partout les rues reprenaient couleur, la terre plus rouge entre les racines dénudées, la mousse plus dorée aux façades, le feuillage des manguiers plus vert. Une semaine que les pluies s'étaient arrêtées, et après les plantes et les arbres abreuvés pendant des mois c'étaient les hommes et les femmes qui retrouvaient le goût de traîner devant l'entrée des maisons, d'aller et venir par les ruelles en pente.

Couto et Esperança étaient sortis de la petite chambre. Les voisins les avaient vus se frotter les yeux, rajuster leurs habits, Couto lever le bras pour arrêter un taxi dodelinant parmi les nids-de-poule. Esperança était montée dedans. Couto l'avait regardée s'en aller vers l'hôtel où elle travaillait tous les après-midi. Il avait pris par les sentiers rouges de Pefine pour descendre au bar de Nunu.

Avant de sortir, Esperança lui avait demandé s'il ne voulait pas pour une fois se faire élégant, pour une toute petite fois au moins mettre une veste plus habillée que son éternel blouson bouffé d'usure aux coudes et aux poignets, un pantalon moins miteux que son vieux jean blanchi de soleil.

Merde Couto tu veux pas te faire un peu beau pour une fois.

Laisse tomber, avait dit Couto. Laisse tomber tu comprends pas mon style, on va encore se disputer pour rien.

Tout le monde sera là, avait dit Esperança. Tout le monde voudra te faire ses condoléances.

Couto avait retroussé les manches de son blouson, passé les bracelets d'argent à ses poignets.

Laisse tomber je te dis, à quoi ça sert, on va encore s'engueuler.

Il lui avait demandé deux mille francs, de quoi voir venir pour la soirée. Elle lui avait donné mille, en disant que pour ce qu'il en ferait, à savoir les foutre par la fenêtre, ce serait déjà bien assez.

Il avait pris le billet tendu par la vitre ouverte du taxi, ramené les pans de son blouson contre ses grandes côtes décharnées, s'était éloigné à son tour entre les maisons, sa longue carcasse efflanquée dégringolant par les creux et les bosses.

Saturnino Bayo, dit « Couto ». Mélange d'ancienne gloire grisonnante et de branleur impénitent auquel sa fierté interdisait de s'abaisser à travailler plus de quelques heures par jour, quelques jours par mois. Seigneur invariablement désœuvré, invariablement fauché, mais qui n'avait qu'à trimbaler son pas usé par les rues pour que tous les regards s'arrêtent sur lui.

Couto le *dutur di biola*, le grand docteur de la guitare.

Couto le *Dun*, le grand patron.

Dun di ke, patron de quoi, *dun di tudu*, patron de tout, *dun di nada*, patron de rien du tout.

Dun di fomi, le putain de patron de la dalle au ventre.

Le soleil arrivait d'en face et l'obligeait à plisser les yeux. Il marchait raide, le pas imperceptiblement cassé. Il avait mal aux genoux. Mal à ce fichu dos qui le lançait par moments comme si on lui avait planté une aiguille au bas de la colonne. Mal surtout à la vessie, comme une brûlure au ventre qui ne le lâchait jamais.

Il aurait crevé plutôt que de le laisser voir.

Encha, la sœur d'Issufo était devant chez elle, à battre son linge.

Couto.

Encha.

Kuma.

Cette façon magnifiquement elliptique qu'avait le créole de demander des nouvelles. Non pas comment ça va, ni même ça va tout court d'un ton interrogateur, mais simplement *kuma*, à peine le premier mot de la question. Comment?

31

Nbon, avait simplement répondu Couto en levant la main. *Nbon* prononcé dans le nez, presque nbong.

Devant lui le sentier descendait entre deux rigoles, bombé au centre comme le dos d'une grosse vache. Des touffes d'herbes poussaient çà et là, des vieux sacs plastique traînaient, des racines saillaient.

Du fleuve invisible montait une odeur de vase et de mangrove. La marée, avait pensé Couto, et par-delà le labyrinthe de ruelles et les murailles du fort d'Amura il avait pu voir l'étendue grise de l'eau, il avait pu entendre comme s'il se promenait au bord de l'eau les racines des palétuviers recommencer de boire le bouillon rouge et brun, les huîtres découvertes depuis le matin s'entrouvrir à nouveau en replongeant dans l'eau salée, les feuilles rondes et charnues de la mangrove reprendre vigueur, les bancs de sable jonchés d'algues et de crevettes séchées au soleil se laisser lentement ravaler.

Marées de Bissau qui montaient mollement, paresseusement, noyant centimètre par centimètre les millions de trompes de la mangrove, centimètre par centimètre les vasières gorgées de larves et d'algues pourries, les piles de béton des quais, les carlingues rouillées des cargos venus s'échouer là, leur chargement de containers dégueulé sur l'esplanade.

Couto aimait cette ville. Il aimait ce quartier de Pefine, ses maisons sans étage, invariablement couvertes du même toit de tôle à quatre

32

pentes qui comme le ciel pouvait prendre toutes les nuances de gris. L'omniprésence des manguiers, leurs grosses boules sombres bouchant la vue, retardant jusqu'au dernier moment l'apparition des toits voisins. La forêt comme entrée dans la ville, infiltrée jusqu'au cœur des courettes. Le rouge de la terre. Le tortueux des chemins. Les mille accidents du sol qui semblaient faits pour obliger le passant à s'arrêter discuter devant chaque pas de porte, caniveaux, clôtures, carrés de manioc, petits ponts de bois, fils à linge, papayers, tas d'ordures, tas de ferrailles, tas de sable. L'eau gorgeant le sol. Gonflant les tiges des plantes. Jaillissant des seaux à chaque grincement de poulie des puits. Partout la vie s'ébrouant, se multipliant, piaillant. Gamins jouant au foot. Vieux assis sur le pas des portes. Femmes debout devant des chaudrons noircis de fumée qu'elles touillaient avec de grandes louches en fer-blanc. Minettes sur leur trente et un qui soutenaient le regard de Couto avec effronterie, tout le temps que durait son passage dans leur champ. Le créole avait un joli mot pour les désigner. Il disait *bajudas*, du verbe *baja*, danser. Ce qui à la lettre ne signifiait pas exactement danseuses, mais plutôt quelque chose comme *dansées*, avec jusque dans leur nom un rien de passif, d'abandonné qui était tout un programme.

I muri.

Après la tristesse des premiers instants, Couto s'était senti envahi par quelque chose d'autre,

33

comme un mélange de peine et d'excitation. Tout en lui s'était bousculé, peut-être de savoir déjà ce que toutes les radios annonceraient bientôt à l'unisson, peut-être aussi de sentir d'avance les regards braqués sur lui, les mains promenées dans son dos pour le consoler.

Ce soir il serait le roi. Il le savait. Cette mort de Dulce c'était son moment à lui aussi. C'était son heure.

Trente ans avaient beau être passés, le veuf de Dulce, le vrai, c'était lui.

Putain il avait été celui-là : l'homme de la *Kantadura*. L'amoureux de Dulce. L'élu de celle que tout un peuple appelait encore aujourd'hui par son prénom, comme une amie, une sœur. *Couto le Dun di Dulce.*

Il avait senti une immense envie d'envoyer tout paître. Les cochons qu'il aidait Nunu à égorger en échange d'un billet ou deux. Les touristes que lui refilait l'hôtel où travaillait Esperança, au bord du fleuve, et qui presque toujours à la lecture de l'offre de rencontrer un ancien guitariste du *mythique orchestre Super Mama Djombo*, comme disait la brochure mise à disposition des clients, sautaient sur l'occasion.

Oh rencontrer monsieur Bayo oui.

Ils venaient le voir comme on visite une pièce de musée, appareil photo à l'épaule. Couto faisait le job, racontait ce qu'il fallait d'anecdotes pour ne pas les décevoir, les entraînait parmi les vestiges du Bissau d'alors, leur montrait les ruines de l'União Desportiva de Bissau où l'orchestre avait répété et joué chaque semaine pendant deux ans, l'estrade du Sporting où il avait fait ses débuts, les pochettes des vinyles enregistrés à Lisbonne. Les étrangers l'écoutaient ravis, l'invitaient à boire un verre, le remerciaient longuement, lui donnaient de l'argent, un nombre de billets sans rapport avec ce qu'aurait pu lui rapporter n'importe quel autre business. Avant de s'en aller ils lui demandaient s'il voulait bien se faire photographier avec eux, offraient de lui envoyer un tirage, promesse que la plupart tenaient. Sur les images Couto était invariablement noir. C'est-à-dire vraiment noir. On voyait leurs traits à eux, pas les siens. Un Hollandais de passage lui avait une fois exposé sa théorie : les appareils étaient faits par les Blancs et les Asiatiques, pour les Blancs et les Asiatiques. Tout était réglé pour capturer les nuances des peaux claires. Pas celles des peaux foncées. Alors un noir comme Couto, noir sans réserve, vraiment noiraud...

C'était là qu'il avait rencontré Esperança, à la terrasse de l'hôtel, un soir qu'un Européen auquel il venait de faire visiter la ville l'avait invité à boire un verre. Ils avaient bavardé une heure ou deux devant le fleuve, puis l'Européen était monté dans sa chambre. Couto était resté profiter du calme du début de soirée. Esperança était venue lui porter le menu. Il avait regardé la liste des plats à quatre mille francs, regardé les bougies allumées dans les photophores à toutes les tables et il était parti d'un éclat de rire, ah bon j'ai l'air d'un client d'ici maintenant, mon blouson fait chic à ce point. Il lui avait rendu la carte en disant qu'il aurait du mal à régler autre chose qu'un nescafé, lui avait demandé son prénom. Avait répété les quatre syllabes et dit bravo, Esperança c'est très beau, ça mériterait une chanson tellement c'est beau et elle s'était moquée de lui, elle avait dit qu'elle se réjouissait d'apprendre qu'un ancien guitariste international allait composer une chanson sur son nom, ça tombait bien, elle adorait les anciens guitaristes internationaux, surtout les richissimes comme lui.

Elle avait disparu en cuisine, était revenue avec deux assiettes de thiep fumant. Ils avaient mangé le riz au poisson en se dépêchant, sans rien dire presque, au milieu de la terrasse déserte, en posant les arêtes sur le bord de leur assiette. Le soir après la fin de son service il l'avait raccompagnée, était resté dormir chez elle. Il était rentré chez lui le matin et une passade avait-il pensé en revoyant la nuit qu'il venait de vivre, une passade pas moins agréable qu'une autre, plutôt plus agréable même. Qui lui avait fait beaucoup de bien, il s'en rendait compte. Beaucoup plus de bien encore que tout ce qu'il aurait cru.

Et puis comment Esperança lui était entrée dans la peau. Comment il s'était lentement mais sûrement mis à penser de plus en plus souvent à elle. Comment il en était arrivé au point de ne plus pouvoir s'en passer, d'avoir besoin chaque nuit de son corps, de sa voix. Besoin tous les jours de sa force. De la sûreté de l'intuition avec laquelle elle savait distinguer ça : ce qui allait la rendre heureuse, et ce qui ne pourrait au contraire que la dévaster.

En quelques mois il avait retrouvé le plaisir de promener sa dégaine par les rues, de sentir le regard des gens sur lui. Retrouvé le goût de jouer sans s'affliger que ses doigts n'aillent plus aussi vite qu'autrefois. Compris qu'à défaut de l'agilité d'antan il possédait autre chose désormais. Un son plus calme, plus posé. Un feeling infaillible des moments où se lancer. Une décontraction qui ne s'atteint qu'avec la maturité, l'usure des phalanges, ce rien de fatigue à l'âme que seul donne l'âge. Il avait été voir Atchutchi, Miguelinho, Zé, les avait convaincus de relancer le groupe.

I muri.
Couto s'était senti triste.

Il avait méprisé son excitation imbécile, son impatience obscène de recevoir les condoléances des uns et des autres, de jouer son rôle de veuf drapé dans sa tristesse et son amour impérissable.

Il avait revu Dulce, l'avait sentie grandir en lui, recommencer à prendre de la place.

Il avait débouché sur le goudron, pris à droite, s'était mis à longer le bitume pour remonter jusqu'au bar de Nunu.

Arrivé à un carrefour il avait vu des éclats de

verre épars sur la chaussée, morceaux de ciel innombrables, scintillants.

Merde.

Il avait pensé aux vitres d'un bus accidenté, aux pare-brise de toute une enfilade de voitures carambolées.

Et puis il avait senti l'odeur de caoutchouc brûlé. Il avait vu l'auréole laissée par le tas de pneus fondus au milieu du carrefour.

Les étudiants.

Ils avaient annoncé à la radio leur intention de manifester, avec ou sans l'accord de l'armée.

Une sirène avait hurlé, un convoi militaire déboulé à toute allure, forçant Couto à se serrer sur le bas-côté.

Qu'est-ce qui se passe bordel.

Il avait regardé les camions chargés de militaires en armes.

Quatre jours. Encore quatre jours à tenir jusqu'à dimanche. Autant dire une éternité, à la veille d'un second tour d'élection présidentielle dans ce pays. Surtout quand le favori des urnes semblait tout désigné, et n'était pas le candidat de l'armée.

La première fois que Couto l'avait vu à la télé, c'était avec Nunu, assis tous les deux à la terrasse du bar, un soir comme les autres. Ils discutaient, la télévision allumée dans un coin. Ils avaient entendu sans y penser le jingle de l'émission du soir qui commençait, écouté le nom du type interviewé, jeté un vague regard à ses joues de politicard guère moins bouffies que celles des autres candidats, à son ventre guère moins bedonnant. Ils avaient dû faire une ou deux blagues sur sa tête de bouffeur, son ventre de bouffeur, ses bonnes joues bien grasses de bouffeur décidé à bouffer plus encore que tous les autres si par bonheur les urnes décidaient d'en faire le Grand Bouffeur en chef.

Et puis le type s'était mis à parler. À dire ce que personne n'osait dire. À jeter sur la table le sujet dont la seule évocation faisait d'ordinaire détaler sur-le-champ tous les aspirants bouffeurs : l'armée et ses effectifs trois fois trop nombreux, son insoumission, sa grogne, ses mois de solde en retard, ses pléthores d'officiers impossibles à recaser, sa pourriture jusqu'à l'os du fait d'une infiltration généralisée par les narcotrafiquants sud-américains qui se servaient du pays comme porte d'entrée sur le continent.

Couto et Nunu avaient ouvert des yeux stupéfaits. Pour la première fois un candidat disait haut et fort ce que tout le pays pensait : assez de l'armée. Assez qu'elle décide de tout, fasse et défasse les présidents, dicte ses choix au peuple, moins les siens en réalité que ceux des barons qui la tenaient et se foutaient bien que le pays se redresse, que le marasme et le chaos refluent, s'en foutaient d'autant plus qu'ils étaient au milieu du marasme et du chaos comme des poissons dans l'eau, rien n'étant propice aux affaires comme la désorganisation, rien ne favorisant mieux le business que l'absence de justice et de police, l'absence d'État tout court, comme chacun sait, rien si ce n'est peut-être le maintien d'un simulacre d'État devenu votre jouet, une marionnette qui vous serve par-dessus le marché de caution, se livre à des parodies d'enquêtes, commande des parodies de rapports, lance des parodies d'opérations mains propres, pique même au besoin des parodies de colères contre l'emprise du narcotrafic sur l'économie nationale, histoire de donner des gages aux observateurs internationaux inévitablement ébranlés, traversés de la légitime envie d'y croire, du légitime espoir : et si c'était vrai ? si vraiment les choses commençaient enfin à bouger un peu ? si cette satanée démocratie dont plus personne à la fin ne sait ce qu'elle signifie se décidait à progresser là-bas aussi ?

Le candidat avait dit à peu près ça et le con, avait murmuré Nunu en fixant d'un air triste le petit écran. Le con ils ne le laisseront pas vivre une semaine. Le con ils ne le pulvériseront peut-être pas ce soir avec sa voiture et sa baraque, ils ne peuvent décemment pas, mais dans la semaine il sera mort, et cela personne ne pourra l'empêcher, avait dit Nunu, personne. Et entendant Nunu répéter personne Couto avait senti croître en lui la même certitude résignée, la même tristesse déjà.

Il avait regardé encore une fois le candidat qui continuait de pérorer à l'écran, signant et contresignant son arrêt de mort, et il y a si longtemps que nous attendions cela, avait-il pensé. Il y a si longtemps que nous rêvions qu'un homme se lève et brave la peur, et voilà qu'aujourd'hui cet homme est là, voilà qu'il dit ce que nous n'espérions même plus entendre un jour de la bouche d'un homme politique, et c'est comme si nous n'avions plus la force de l'écouter, plus la force de le regarder autrement que comme un fou en sursis, un dément n'ayant plus que quelques jours à vivre.

À présent nous sommes vraiment matés, avait pensé Couto avec tristesse, ce qui s'appelle matés, la résignation est si profondément entrée en nous que les militaires n'ont même plus besoin de nous faire peur.

Les jours suivants le pays entier avait attendu avec anxiété, guettant les flashes info, suspendu aux nouvelles, conscient que cet affront ne pourrait pas ne pas se payer, et cher. Cela avait duré un mois et demi. Le jour du premier tour était venu et tout le monde était resté ahuri de pouvoir aller paisiblement voter, ahuri de trouver comme prévu dans les bureaux de vote des piles de bulletins au nom du fou suicidaire, ahuri de pouvoir partout prendre ce carré de papier-là et le glisser comme n'importe quel autre dans l'enveloppe.

Le lendemain les radios avaient annoncé les résultats, donné le dément presque élu déjà, ratant d'un cheveu les cinquante pour cent. Cette fois l'incrédulité s'était mêlée d'euphorie, il y avait eu des pétards, des coups de klaxon, une joie comme un feu contagieux dans la ville, s'allumant partout, peinant à se contenir.

Et puis l'anxiété avait recommencé. L'attente, jour après jour. Les prières pour que l'armée ne bouge pas. Pour que rien n'arrive avant le second tour.

Maintenant le scrutin était proche. Chacun se prenait à espérer. À croire que c'était vrai, cette fois l'armée avait pour de bon décidé de se tenir à l'écart.

Couto.

La voix de Tonton Ndjai, assis sur le pas de sa porte.

Ndjai n'était pas l'oncle de Couto, pas même son parent éloigné. Simplement il avait un peu plus d'années à son actif, un peu plus de crampes au dos et d'arthrose aux jambes.

Tonton, avait répondu Couto d'une voix descendante, comme un constat, une voix pas du tout étonnée ni exclamative, juste une façon de dire je t'ai vu, c'est bien toi, oui Tonton tu as raison de penser que tu es assis sur le pas de cette maison et que je passe devant toi, moi et pas un fantôme.

Couto.

Tonton.

Ils le faisaient tous les deux à la perfection. Ça tapait.

Un gamin s'était avancé vers Couto en titubant, tenant à peine debout. Il était venu s'accrocher à son jean et lui tendre une feuille jaunie déjà, fine, longue comme étaient les feuilles de manguier.

Cadeau d'enfant, promesse d'argent.

Couto avait souri.

Bonne idée, gamin. J'en veux bien un peu. C'est pas que j'en fasse la boussole de la vie, mais bon. De quoi payer ma tournée tout à l'heure, je dis pas non.

Il avait continué, était passé devant l'échoppe d'un tailleur. Des têtes familières l'avaient salué. Est-ce que les gens savaient déjà? Il lui avait semblé qu'ils le regardaient plus longtemps que d'habitude. Les nouvelles allaient vite dans cette ville, très vite.

Couto avait imperceptiblement bombé le torse.

Les gosses qui le prenaient pour un pauvre type verraient. Dulce pouvait s'être remariée depuis trente ans, son mari être le nouveau chef d'état-major des armées, celui qui avait permis le miracle du premier tour: le *dun di Dulce* de toujours, c'était lui, Couto.

Il serait superbe.

Couto le veuf.

Couto le roi.

Qu'est-ce que tu fous, tu regardes passer la Vierge ou quoi.

Couto avait tourné la tête du côté de la terrasse du Chiringuito. Sous les tôles ondulées du bar il avait vu la silhouette rondouillarde de Nunu arrosant le sol au jet d'eau, poussant devant lui un anneau de flotte cendreuse où surnageaient de vieux mégots, des capsules de bière Crystal, des osselets de porc, des bouts de gras refroidi, des cure-dents. Keba était près de lui, affairé à tremper des morceaux de cochon dans une sauce au miel et au citron.

Ho Couto! qu'est-ce que t'as, tu dors, avait ri Nunu.

Il avait tourné son tuyau vers lui. La gerbe était retombée à trois centimètres de ses chaussures.

Mes pompes! avait râlé Couto. Fais chier.

Arrive, avait dit Keba. Goûte-moi ça si c'est pas bon.

Couto s'était approché du vieux cuistot, avait

trempé le doigt dans le bol de sauce. C'était sucré, poivré, piquant, acide, un mélange foutument savoureux.

C'est bon.

C'est bon, c'est tout, avait dit Keba.

C'est *très* bon.

Keba le fada, le frappé que tout le monde aimait bien. Sa mère était morte il y avait deux ou trois ans de cela. En quelques semaines il avait perdu la boule, cessé de manger, s'était mis à injurier même ses meilleurs amis, à dormir dans la rue. Nunu l'avait ramassé amaigri de vingt kilos, pauvre clochard de cinquante ans. Il l'avait recueilli, nourri, lui avait confié quelques ménages, un peu de cuisine, un peu de service aux heures creuses. Il y avait eu un léger mieux, rien de franchement spectaculaire. Keba le remerciait en jetant des regards noirs et des insultes aux clients. Un jour qu'il venait d'étrangler à moitié une cliente, Nunu l'avait fait embarquer par les pompiers, direction l'hôpital.

Nunu qu'est-ce que tu fous, avaient dit les gens qui étaient là. T'as donc perdu toute charité.

Sauf que Nunu était monté lui aussi dans le fourgon. Avait accompagné Keba chez le psychiatre. Était allé tout de suite acheter les médicaments prescrits. Avait commencé le soir même à s'assurer que Keba prenait bien chaque cachet, à l'engueuler les jours où il oubliait, avec une foi en la médecine occidentale dont tout le monde se demandait où il était allé la chercher. Il avait maintenu à Keba ses heures de service, le félicitant à chaque assiette de kaldu qu'il réussissait à porter à une table, fêtant avec lui la première fois où il s'était remis à pouvoir regarder les clients dans les yeux en prenant la commande.

Goûte-moi ça, grand.

Tu viens de me faire goûter.

C'est pas grave, s'était marré Keba. Regoûte.

La terrasse du Chiringuito était déserte encore, les chaises en plastique renversées sur les tables. Le jet d'eau de Nunu gagnait lentement du terrain. Là où il était passé, le béton brillait, le sol était frais, propre. Ailleurs des auréoles de gras et de soda renversé s'étalaient, attirant les mouches.

T'es toujours pas remis d'hier soir on dirait, avait dit Nunu.

Les cadavres des bières sifflées la veille étaient là dans un coin, emplissant une bassine noire profonde comme un puits.

Couto avait étiré ses longs os bientôt sexagénaires, étiré au bout de ses paumes ses longs doigts. Il avait poussé un soupir de chien coupé dans sa sieste.

Tu m'as assassiné avec tes tournées.

J'espère qu'il te reste un peu de jus quand même. Parce que ce soir faut que ça pète.

T'inquiète mon pote, avait fait Couto en se marrant. Pour péter ça pétera. Regarde-le bien une dernière fois, ton bar, c'est tout ce que je peux dire. Ce soir on te le pulvérise.

Nunu avait ostensiblement regardé les piliers de métal rouillé qui soutenaient le toit de tôle ondulée, ostensiblement scruté les petits trous de lumière aux points de fixation des rivets et la dalle de béton sous ses pieds et les deux marches faites pour servir d'estrade.

Zut, il était pourtant pas mal ce fichu rade.

Le groupe avait repris du service depuis quelques années maintenant. Après plus de vingt ans d'absence, il recommençait à tourner, dans le pays et à l'étranger. C'était l'effet magique d'un nom entré dans l'histoire du pays, comme l'Étoile de Dakar au Sénégal, le Rail Band au Mali, le Bembeya Jazz en Guinée-Conakry.

Le concert de ce soir avait des airs de retour aux sources : petit bar familial, sono installée à l'arrache, public de copains et d'habitués. La soirée serait belle, c'était impossible autrement.

I muri, avait pensé Couto et il avait pris son souffle pour le dire à Nunu. Il l'avait vu d'avance dégonflé, son enthousiasme anéanti. Pauvre Nunu dont je vais foutre le concert en l'air.

Est-ce que ça fait pas trois ans que vous n'avez plus joué ici, avait dit Nunu.

Quatre. La dernière fois c'était y a quatre ans.

Nom de dieu ça va péter.

Couto avait regardé l'estrade à l'extrémité de la terrasse. Elle était minuscule, deux marches faites exprès pour se casser la gueule.

Même à dix-sept ans on n'acceptait pas de jouer sur un truc pareil.

Vous êtes des stars ou pas, avait dit Nunu. Les stars ça transcende tout.

Transcender les rafiots, le Mama Djombo avait donné. Couto revoyait leurs tout premiers concerts, avant l'arrivée de Dulce, avant l'arrivée même d'Atchutchi. Certains soirs c'était la fête, ils décrochaient le Sporting, le Benfica, l'UDIB, parfois même le Salão de Luxo. Le reste du temps ils jouaient là où on voulait bien d'eux. N'importe quel bar pourvu qu'ils continuent de se faire la main. Le patron offrait la boisson, le dîner. Et s'il y avait eu du monde ils repartaient avec de quoi se payer le déjeuner du lendemain.

Entre toutes les soirées, leurs préférées étaient celles du Sporting. Les grandes casseroles de feijoada sentaient bon, l'équipe de foot gagnait presque chaque semaine, les gens étaient contents. Au début le Mama Djombo n'avait pas la tête d'affiche, seulement le second rôle, mais est-ce que ce n'était pas la consécration déjà, de jouer après le Cobiana Jazz du grand José Carlos Schwarz.

Pour eux tous, José Carlos était le père. Il avait été le premier à mêler répertoire traditionnel et guitare électrique, le premier à abandonner le portugais pour se mettre à chanter en créole. Le premier aussi à se voir condamné au bagne par les Portugais, comme un symbole, déporté pendant des années au pénitencier de Djiu di Galinha, l'île des Poules, au large de Bissau.

Djiu di Galinha, disait une de ses plus belles

chansons. *Ndisdjau Djiu di Galinha.* J'ai la nostalgie de toi, île de Galinha.

José Carlos écrivait des poèmes, chantait le courage des guérilleros, la tristesse des mères en deuil, la douleur de perdre un camarade de maquis. Il chantait *Estin muri*, celui-là est mort, *estin muri cinco di parmanha*, celui-là est mort à cinq heures ce matin, c'était un des nôtres, c'était un brave. Il chantait *Mindjer di panu pretu, ka bu chora pena*, femme voilée de noir, ne pleure pas, non ne pleure pas ta peine. Il avait la même barbe que le Che, qu'on venait d'assassiner en Bolivie. Comme le Che il n'allait pas tarder à mourir prématurément, à trente-deux ans à peine, aidé selon toute probabilité par la CIA lui aussi, son avion pour La Havane victime d'une explosion en vol alors qu'il venait d'être nommé ambassadeur à Cuba.

José Carlos avait de la gueule, c'était le moins qu'on pouvait dire. Et le nom de son groupe aussi en avait : Cobiana, du nom d'un village irréductible des forêts de Canchungo, l'un des seuls que les Portugais n'avaient jamais réussi à prendre, jamais réussi même à approcher, en huit ans de guerre. Le fétiche de Cobiana s'appelait Mama Djombo. Couto et les autres avaient bondi quand l'idée de ce nom leur était venue. Maintenant c'était presque un gag. En invitant le Mama Djombo les mêmes soirs que le Cobiana, les organisateurs du Sporting faisaient coup double : ils avaient le village et son fétiche.

José Carlos et ses musiciens jouaient une heure et demie, s'arrêtaient pour manger. Couto et les autres montaient sur scène, branchaient leurs instruments, commençaient poliment par une reprise de leur aîné. Et puis ils attaquaient. Les gens les trouvaient doués, s'enthousiasmaient, répétaient ils ont quelque chose ces gosses, ils ont de l'avenir, rigolaient d'entendre Zé sans le voir, si petit qu'il avait beau se tendre du haut de ses quinze ans sur son tabouret pour regarder par-dessus les fûts et les cymbales de sa batterie, il passait les trois quarts du concert planqué. Couto et les autres brossaient les clients dans le sens du poil, leur jouaient ce qu'ils voulaient, façon juke-box, reprenaient tout ce qu'il était possible de reprendre pour leur faire plaisir, de James Brown à Jimi Hendrix, de *Love me tender* et des Beatles à *Guantanamera* et la *Bicicleta* revisités à la sauce afro-créole. On ne pouvait pas dire que ça révolutionnait l'histoire de la musique, mais du moment que les gens étaient contents.

Et puis Atchutchi était arrivé.

Les gars vous ne voulez pas qu'on arrête les States Cuba toutes ces chansons apprises par cœur sans les comprendre. Vous ne voulez pas qu'on fabrique un son à nous, des chansons qui nous appartiennent, parlent de notre pays, de nos vies, en parlent dans notre langue, le créole.

Atchutchi ne chantait pas, ne jouait d'aucun instrument, à peine quelques accords de guitare, toujours les mêmes si tu regardes bien, toujours la mineur sol, la mineur sol, s'amusaient les autres, qui ne l'en admiraient pas moins. Il revenait de la guerre du Mozambique, l'avait faite côté portugais, sans grand enthousiasme, tellement peu d'enthousiasme qu'il avait passé son séjour à écrire des poèmes révolutionnaires antiportugais et en était revenu remonté comme un coucou.

Atchutchi s'était mis à jeter des paroles sur le papier, accompagnées d'un début d'air que les autres développaient au pied levé, Tundu à la guitare, Armando aux percussions, Chico à la basse.

Dulce les avait rejoints peu de temps après. Ç'avait été le début. En quelques semaines, quelques mois : l'envol. Un son à eux. Une façon de laisser planer les notes dans le lointain. Un rien de saudade immédiatement reconnaissable. Et le téléphone d'Atchutchi qui s'était mis à sonner tous les jours. Les stades qui partout s'étaient remplis pour eux.

Une voiture de police avait déboulé, hurlant pour s'ouvrir la voie.

Mais qu'est-ce qui se passe nom de dieu.

Quatre camions verts étaient passés à vive allure, chargés de soldats en armes, mitraillette, casque et gilet pare-balles.

T'as pas entendu à la radio, avait dit Nunu.

Couto l'avait regardé.

Entendu quoi.

Nunu avait laissé tomber son tuyau d'arrosage, fermé le robinet. La terrasse brillait, luisante d'eau.

T'as pas entendu. Ils ont tué un gosse. Un étudiant. Pendant la manif ce matin.

Mais depuis quand ils tirent sur les manifs. Ils sont tarés ou quoi.

Balle perdue, avait dit Nunu. Le soldat jure qu'il a paniqué en voyant arriver les étudiants. Qu'il a voulu tirer en l'air pour leur foutre la trouille.

En l'air. Comment il a pu tuer quelqu'un s'il a tiré en l'air.

Nunu avait attrapé une chaise renversée sur une table, l'avait retournée pour la remettre sur ses pieds.

Le gosse faisait même pas partie de la manif. Il était à trois rues de là, en train de manger un sandwich. Il a pris la balle en plein crâne. Tué net.

Me dis pas que tu crois ces salades Nunu.

Écoute la radio si tu veux. Le gosse prenait tranquillement son pain aux sardines comme tous les matins avant d'aller en cours d'informatique. Il était assis sur un banc, devant le même kiosque que tous les jours. Je sais pas combien de chances y avait que la balle lui retombe sur le crâne, je pense pas que ça dépasse une ou deux sur un paquet de milliards.

Quelle merde.

Je te le fais pas dire. Ils attendaient que ça. Depuis ça n'arrête pas. Des camions, encore des camions.

De sa table à découper, Keba avait grommelé.

Vous inquiétez pas. Il bougera pas Gomes.

Keba était de ceux qui depuis le miracle du premier tour ne juraient plus que par le nouveau chef d'état-major des armées.

Qu'est-ce que tu nous emmerdes avec ton Gomes.

Il bougera pas, je vous dis. Sur ma tête il bougera pas. Vous avez pas entendu son communiqué tout à l'heure. Vous avez pas vu comme il a bien parlé, comme il a présenté ses condoléances à la famille de l'étudiant, appelé tout le monde au calme, promis de veiller personnellement au maintien de l'ordre d'ici le vote.

Nunu avait gonflé le torse, solennel, scandant le patronyme honni :

Osvaldo Chico Gomes : celui-là je lui chie dessus.

Keba s'était marré.

Et lui t'en largue des containeurs, de merde. En hélico spécialement dépêché pour ta tronche.

Osvaldo Chico Gomes : c'était pour lui que Dulce avait quitté le groupe autrefois, à une époque où il n'était pas encore général, moins encore chef d'état-major des armées.

Au fil des années il était monté en grade. Un matin, Couto et Nunu avaient appris sa nomination au commandement suprême. Ils avaient reconnu son visage à la télévision, reconnu sa voix calme au micro des journalistes, sa façon de vous regarder en face comme s'il lisait dans vos pensées. Constaté qu'il n'avait rien perdu de son autorité naturelle. Que ses phrases étaient toujours décidées, sûres d'elles, sa force de persuasion intacte.

Ils avaient tenté de comprendre ce que cela signifiait.

Gomes nouvel homme fort du régime.

Dulce femme d'un type qui désormais n'avait qu'à claquer des doigts pour faire liquider n'importe qui.

Ils avaient côtoyé Gomes dans le maquis pendant la guerre d'indépendance, l'avaient eu comme chef alors qu'il n'était encore qu'un officier parmi d'autres, à peine plus âgé qu'eux. Ils avaient eu cent occasions de mesurer son courage. Cent occasions aussi de constater le peu de cas qu'il faisait de la vie de ses hommes, dès lors qu'il s'agissait de frapper l'ennemi.

Le soir du premier tour Couto avait écouté les cris de liesse des gens dans la ville. Écouté les bouches qui scandaient non seulement le nom du candidat arrivé en tête, mais celui du nouveau chef d'état-major, qui avait fait cette chose toute simple qu'aucun n'avait faite avant lui : laisser se dérouler normalement le scrutin.

Un groupe de jeunes euphoriques avait dépassé Couto en courant avec une banderole ornée de lettres rouges.

Obrigadu Gomes. Merci Gomes.

Gomes le forcené, le grand malade. Le plus génial militaire que le pays ait enfanté, disaient les gens, mais le plus dangereux aussi. Auteur à l'époque déjà où il commandait leur petit détachement contre les Portugais, dans les forêts de Boé, de deux ou trois coups qui n'étaient pas passés inaperçus. Un jour qu'un haut colonel de Spínola était venu en personne lui offrir des pourparlers de paix, prenant pour cela le risque d'atterrir en hélico en pleine zone rebelle, Gomes l'avait accueilli poliment, faisant mine d'accepter la proposition. Il avait désigné deux de ses hommes comme émissaires, les avait regardés monter le colonel et ses soldats dans l'hélico, avait attendu que l'engin redécolle et commence à s'élever au-dessus de la forêt. Puis il l'avait fait pulvériser d'un tir de roquette.

Deux sous-officiers contre un colonel, un hélico et six soldats de troupe ennemis, avait calmement expliqué Gomes en cour martiale. Je ne crois pas que le succès de l'opération puisse être mis en doute.

Les Portugais avaient bombardé la zone pendant une semaine en représailles, mitraillant tout ce qui bougeait, anéantissant chaque bouquet d'arbres où Gomes et ses maquisards pouvaient se planquer. Gomes avait perdu plusieurs hommes, s'était fait maudire par les autres. Et puis au bout de quelques semaines un nouveau colonel était venu lui proposer une médiation. Cette fois Gomes était monté lui-même dans l'hélico, s'exposant à ce que les Portugais lui rendent la monnaie de sa fourberie, pariant qu'ils ne le feraient pas. Il était revenu par la route, ayant obtenu la libération de soixante prisonniers, gagné pour longtemps le respect de ses hommes – un respect mêlé de terreur, puisque c'était ce qu'il leur inspirait de plus en plus à tous : une trouille à les rendre insomniaques.

Gomes l'inventeur du pintcha-Tugas, littéralement le « crève-Portugais ». Comme tout le monde il avait constaté que l'ennemi souffrait pendant les longs mois d'hivernage. Comme tout le monde il avait vu les conscrits frais débarqués de Lisbonne et de Porto fondre de chaleur, choper la malaria, la dysenterie, crever lentement de déprime et de mycoses dans le grand bouillon de levure des pluies qui s'abattaient jour et nuit sur la forêt, faisant beaucoup de bien aux plantes et beaucoup de mal aux hommes. Pendant trois mois le pays était noyé. C'était le moment où l'ennemi était le plus affaibli, son moral le plus bas, les questions sur les raisons de garder ce bout d'Afrique les plus dévorantes, son envie de foutre le camp au pas de course la plus irrépressible. Donc, avait dit Gomes : le moment le plus propice à l'offensive. C'était devenu une habitude : sitôt tombées les premières pluies, le harcèlement commençait. Les Portugais n'avaient plus seulement à se préparer aux coulées de boue, aux températures étouffantes, aux nuées de moustiques. Ils savaient que s'ouvrait la saison des plus vicieuses attaques.

Année après année le pintcha-Tugas était devenu célèbre, si populaire que même les entraîneurs de foot avaient tenté de s'en inspirer pour inventer un style de jeu national.

Gomes vendant aujourd'hui le pays aux narcos, ça paraissait dur à croire. Mais devenait-on chef d'état-major de ce pays sans rien leur céder ? Il y en avait eu d'autres avant lui, nommés eux aussi pour rompre avec la corruption généralisée, présentés comme lui à renfort de conférences de presse et de déclarations tonitruantes. Rien n'avait jamais changé : l'armée était toujours restée l'armée, à la fois au-dessus des lois et soumise aux volontés de ceux qui la finançaient d'en haut, versaient les soldes en retard, remplissaient les poches complaisantes.

Gomes il bougera pas, avait répété Keba et il avait ouvert le congélo, s'était penché dedans pour attraper deux carcasses supplémentaires.

Deux cochons de belle taille, que seules leurs paupières closes et la longue fente le long de leurs ventres distinguaient de ceux qui se baladaient un peu partout en ville. Il avait levé un long couteau et l'avait abattu sur les basses-côtes d'une des bêtes. Les os avaient craqué, cédant dans un bruit sec, blanc.

Nunu avait disparu dans l'arrière-cuisine, était revenu avec une bouteille en plastique remplie d'un liquide brun foncé, presque noir, mêlé d'éclats de cire broyée et d'ailes d'abeilles écrasées.

Miel sauvage de mangrove. Récolté la semaine dernière dans mes ruches de Bula.

Il en avait versé la moitié dans la marinade de Keba, avait pris une poignée de citrons verts, les avait coupés et écrasés l'un après l'autre dans la bassine. Avait regardé Couto perdu dans ses pensées.

Ho qu'est-ce qu'y a mon Couto.

Au fil des missions dans le maquis, c'était

devenu une manie chez Gomes de les aligner ensemble chaque fois qu'il fallait confier à deux marioles la surveillance d'un bras de fleuve où risquait de passer un bateau portugais, l'abattage d'un arbre en travers d'une piste stratégique, la reconnaissance d'un poste ennemi découvert la veille.

Nunu, Couto! Sempiternel appel par lequel Gomes les expédiait chaque fois au casse-pipe, Nunu âgé de vingt ans, Couto de dix-huit, torse bombé tous les deux à l'écoute de la nouvelle mission suicidaire dont ils recevaient la responsabilité, des éternelles recommandations de ne pas trop faire les couillons, des promesses qu'ils n'avaient pas à s'en faire, que cette fois encore c'était du sur-mesure pour eux, allez-y les gars et faites gaffe à vos petits culs bordés de nouilles hein, vous savez qu'on tient à vous.

L'ordre reçu ils s'éloignaient ensemble, retrouvaient la solitude de la forêt, l'anxiété de l'affût, l'appréhension à tout moment d'un accrochage ou de l'apparition d'un de ces avions qui une fois entamé leur jeu de massacre déchiquetaient tout ce qui se trouvait dans leur mire.

Ils maudissaient Gomes, vomissaient son nom et tous ses aïeux.

Salopard de Gomes qui veut qu'on meure.

Chien de Gomes qui se tourne tranquillement les pouces au camp pendant qu'on crève.

La vérité était qu'ils le vénéraient. Qu'ils se seraient fait cribler de balles plutôt que de le décevoir.

Chargés une nuit de miner un passage de convois, ils étaient arrivés trop tard, le jour levé déjà. Couto finissait d'enterrer la mine quand le bruit d'une colonne s'était rapproché. Ils avaient juste eu le temps de planquer la galette à couvert sur le bord de la piste et de plonger dans les fourrés avec les pelles et les fusils.

Là, ils étaient restés allongés pendant de longues secondes, tapis comme des perdrix parmi les tiges et l'odeur d'humus, tête plantée dans le sol comme s'ils avaient voulu prendre la terre dans leur bouche, la manger comme des escargots, des limaces.

Une automitrailleuse avait surgi dans le virage, endormie. Une deuxième la suivait, puis derrière encore un camion de troupes.

Roulez, avait soufflé Nunu entre ses dents, sa grosse tête enfouie parmi les herbes et les branches mortes. Faites pas chier, allez, roulez.

Ballottés dans le matin au fond de leurs sièges, les soldats avaient l'air de somnoler encore. La première automitrailleuse était passée sans sourciller. La deuxième aussi, ronflant doucement, les soldats immobiles là-haut sur leur plate-forme, yeux mi-clos ou perdus au loin parmi la forêt et les lianes. Le camion de troupes avait roulé lui aussi sans paraître s'étonner du trou dans la chaussée et est-ce possible se rappelait avoir pensé Couto, encore dix secondes et nous aurons une fois de plus miraculeusement sauvé notre fion.

À ce moment le camion avait freiné.

Nunu et Couto avaient pu l'entendre

s'immobiliser, la portière du chauffeur claquer, ses bottes fouler la boue jusqu'aux traces de pelle sur la chaussée.

Fidjus di puta avait marmonné une voix à quelques mètres d'eux seulement, *Fidjus di puta mama* et il y avait eu un silence pendant lequel ils n'avaient pas eu besoin de relever la tête pour comprendre ce qui se passait, pas eu besoin de tendre davantage l'oreille pour entendre les mirettes du chauffeur s'écarquiller, sa bouche béer de les apercevoir à quelques pas seulement de lui, planqués comme deux éléphants au milieu d'un carré de manioc.

Allez bonne bourre ma poule, avait soufflé Nunu et dans la seconde Couto avait pu voir sa silhouette dodue se jeter comme celle d'un phaco entre les troncs d'arbres et les fourrés, larguant tout, pelles fusils sacs gourde, tout.

Hé! avait gueulé le chauffeur et Couto s'était jeté à son tour comme un perdu vers la forêt.

Hé! Arrêtez-vous! *Fika li fidjus di puta!*

Trois secondes, se rappelait avoir pensé Couto. Trois secondes avant le premier tir, et il lui avait semblé réentendre la voix de l'instructeur de Conakry répétant ces conseils qui alors lui avaient paru le comble du grotesque, en cas de localisation par l'ennemi surtout rester calme, cela dit du ton le plus sérieux, rester calme et exploiter au mieux les trois secondes minimum qui s'écoulent toujours avant que l'ennemi soit physiquement et psychologiquement en mesure de réagir, trois secondes et jamais moins, toutes les études le montrent, même à distance réduite, même à découvert, trois secondes minimum avant le premier coup de feu, même à supposer que l'ennemi décide tout de suite de vous tirer dessus, option la plus fréquemment adoptée il est vrai.

Ils étaient gentils, les instructeurs de Conakry. Couto avait couru comme un putain de lièvre, en s'attendant à recevoir dans le cul la plus foudroyante décharge jamais lâchée dans un bout de viande. Il avait couru sans sentir les branches les épines l'écorcher et en effet après quelques secondes le déluge avait commencé, il n'avait plus senti ses jambes, plus rien vu que les branches volant de toutes parts autour de lui, les troncs déchiquetés, le vert partout haché menu autour de lui.

Pourvu que Nunu y arrive, se rappelait-il avoir pensé, comme si lui ne doutait pas d'en réchapper. Pourvu que cet enfoiré de ballot de Nunu galope comme il n'a jamais galopé et réussisse à se tirer de là.

Il l'avait retrouvé près d'une mare, à moitié à poil, affairé à rincer tranquillement son pantalon, l'engueulant presque.

Ben c'est pas trop tôt.

Cette fois Gomes avait dû sentir qu'ils étaient passés tout près. Il avait rédigé une demande de citation pour bravoure. Leur avait remis la décoration devant leurs camarades, au cours d'une petite cérémonie, la première du genre depuis dix mois qu'ils étaient là tous ensemble, perdus dans la forêt entre Guiledje et Gadamael, à vivre comme des bêtes, coupés de tout, ravitaillés seulement une fois par semaine. Il avait prononcé un bref discours, dit quelques mots sur leur courage et les services plusieurs fois rendus au pays, ne s'y était pas attardé non plus, ce n'était pas le genre.

Qu'est-ce qu'y a mon vieux. Qu'est-ce que c'est que cette tête vaseuse que tu nous fais depuis tout à l'heure. C'est ton Esperança, c'est ça. Vous vous êtes engueulés.

Couto avait secoué la tête.

Viens je vais te montrer un truc, avait dit Nunu et il l'avait entraîné sans lui laisser le choix. Viens, j'avais prévu d'attendre ce soir pour la faire voir à tout le monde, mais à toi je peux bien la montrer avant. Allez viens voir, ramène par là tes mirettes.

Il s'était arrêté devant une vieille Mercedes garée sur le bord du goudron.

Mate ça mon pote. Qu'est-ce que t'en dis.

Couto avait regardé la voiture, si on pouvait encore appeler ça une voiture, vitres dépolies, rétros rafistolés à l'adhésif, ailes percées de rouille, cuir des sièges arraché laissant voir une mousse tachée de moisissures.

Ça te troue le cul hein.

Couto ne savait pas si c'était exactement son cul qui était le plus troué dans l'affaire, et c'est sans doute ce que Nunu s'était dit lui aussi en poursuivant son tour de l'épave.

Elle est pas toute neuve c'est vrai, mais fallait

voir le prix. Un million et demi la Merco, tu peux pas demander qu'elle sorte de l'usine.

Couto avait posé sans conviction la semelle sur le pneu avant droit, usé comme les autres jusqu'à la trame. Il avait appuyé dessus de tout son poids, forçant la voiture à s'incliner docilement avant de reprendre son assiette.

Tu te dis que je suis fou hein, avait dit Nunu. Tu te dis pauvre Nunu, dans quoi il est encore allé se fourrer. T'en fais pas mon pote, j'ai demandé conseil à Nando. Il en a réparé des centaines. Et dans un état. À côté celle-là c'est comme si elle avait jamais roulé.

Couto avait ouvert la portière du conducteur. Elle était venue sans résistance, tenant bon sur ses gonds. Alors il avait vu la chose la plus singulière qu'il lui ait été donné d'observer à l'intérieur d'une voiture, a fortiori d'une voiture de marque allemande plutôt réputée pour son standing : un matelas de plumes rousses qui s'étaient soulevées au souffle de la portière, se posant sur le tableau de bord, s'envolant jusque par les fenêtres. Tout ça puant la chiure de poule à plein nez.

Putain c'est pas une voiture ce que t'as trouvé Nunu, c'est un poulailler.

Nunu avait voulu épousseter le siège du conducteur pour le rassurer.

Le proprio l'avait laissée dans une cour, les poules venaient couver dedans. J'ai pas encore eu le temps d'y passer le jet d'eau.

Le matelas de plumes laissait à peine voir le

haut des pédales. Le volant, la boîte de vitesses, le frein à main, le tableau de bord, tout était incrusté de fiente. Crevure de Nando, il prenait une com chez le vendeur ou quoi.

Alors, avait fait Nunu. Dis quelque chose! Ton Nunu a sa Merco, ça y est. Ton Nunu enfin taximan comme on se l'était toujours dit. C'est pas bon, ça?

Couto avait voulu dire un mot gentil, se réjouir, l'embrasser au moins.

Dulce est morte, Nunu.

Le visage de Nunu s'était figé.

Qu'est-ce que tu dis.

C'est Zé qui m'a prévenu. Bruno venait de l'appeler.

Nunu avait regardé devant lui sans rien dire.

Dulce.

Ça va, vieux.

Ça va, avait dit doucement Nunu. C'est surtout toi. C'était toi son homme.

Couto avait haussé les épaules.

C'était y a combien d'années.

C'était toi son homme enfoiré, dis pas non.

On était gamins Nunu.

Qu'est-ce que ça peut foutre. Qu'est-ce que le temps change à ça.

Couto avait hoché doucement la tête.

Bien sûr que je suis triste.

Ils étaient restés sans rien dire.

Qu'est-ce que tu vas faire. Tu vas pas aller là-bas, rassure-moi.

Couto avait réfléchi. L'amour de jeunesse se

pointant chez le mari pour réclamer sa part de deuil. Venant défier le chef d'état-major chez lui, dans ses murs. Ça avait de la gueule. L'idée lui plaisait.

Pourquoi faudrait pas que j'aille là-bas.

Nunu avait soupiré, l'air accablé. Il avait regardé du côté de Keba toujours affairé à sa marinade.

Et pour ce soir. Pour ce soir qu'est-ce qu'on fait.

Il avait l'air paumé, inquiet du retard des pré-paratifs de la soirée et honteux de s'inquiéter de ce qui lui semblait absurde à présent, presque indécent.

On a rendez-vous tout à l'heure avec les autres, avait dit Couto. On verra ce qu'on fait.

C'est tout vu, non.

Bruno doit venir chez Diabaté. Il nous en dira plus.

Qu'est-ce que ça peut foutre qu'il vienne.

Qu'est-ce que ça peut foutre, je suis d'accord.

Vous viendrez au moins bouffer là j'espère. C'est pas les grillades qui manqueront.

Couto avait acquiescé.

J'avais fait des affiches, avait dit Nunu. Regarde.

Il avait tapé du pied contre un poteau bardé de photocopies A4. La qualité de l'image était abominable, mais en s'approchant Couto l'avait reconnue : une photo prise au Cap-Vert deux ans plus tôt. Sur fond de cailloux noirs et de champs de cannes à sucre, on reconnaissait Atchutchi, Zé, Couto, Miguelinho. Beaucoup manquaient : Chico décédé, Armando depuis longtemps installé à Bruxelles, Malan, Djon et Ntchoba à Paris, Tundu à Lisbonne, Serifo à Ziguinchor, Lamine en Côte d'Ivoire. Et Dulce qui n'était installée nulle part mais manquait comme les autres.

À leur place des nouveaux étaient là, appelés par Atchutchi pour tenter de regarnir le groupe au moment où ils avaient décidé de le reformer : Pitchetche à la guitare solo, Binham au chant, Ivan au clavier, Karyna aux chœurs, Eliseu à la basse. Ils étaient plus jeunes de vingt ans, n'avaient pas de cheveux blancs, pas de rides au visage. C'était le Mama Djombo nouvelle génération.

J'en ai fait mettre partout, avait dit Nunu en montrant d'autres feuilles A4 placardées sur le trottoir d'en face.

Super, avait dit Couto sans trouver le cœur d'avouer ce qu'il pensait : que de toute sa vie, il n'avait jamais vu d'affiches aussi dégueulasses.

Un coup de klaxon les avait fait sursauter. Une petite voiture violette flambant neuve s'était garée devant eux : Ivan. Accompagné d'Antonia, une comédienne qui jouait dans la meilleure troupe du pays, avait traduit Brecht en créole, préparait pour la scène une grande fresque sur l'histoire du pays, vingt comédiens, un siècle et demi d'histoire passé en revue, de la chute du royaume du Gabou à la guerre d'indépendance.

Ivan et ses intellectuelles, le chambrait chaque fois Zé. Invariablement étudiantes en ceci, chercheuses en cela. Gamin tu veux pas sortir un peu avec une serveuse pour changer.

Elle leur avait souri pendant qu'Ivan enjambait le caniveau pour les rejoindre.

Eh ben ça bosse je vois, bravo.

Toi t'es à peine arrivé que tu la ramènes.

Encore heureux que je la ramène. On joue dans même pas cinq heures, je sais pas si vous êtes au courant.

Ivan avait la trentaine, vingt-cinq ans de moins que Nunu et Couto, sept d'études de plus. Il savait tout faire : chant, percus, clavier. Il avait ses entrées partout, connaissait chaque animateur radio du pays, ne passait jamais une soirée sans que son portable sonne dix fois pour le réclamer à dix endroits différents. C'était le genre bosseur. Il parlait italien et français, ne fumait pas, préparait une thèse de chimie. Et le plus important : il chantait bien. *Ku fogo*, avec feu et fougue.

Ben vous en faites une gueule. Heureusement que la jeunesse arrive pour vous botter le cul.

Il avait ouvert les portes arrière de la voiture et empoigné le côté d'une enceinte. Keba avait lâché son cochon, plongé les mains dans une bassine d'eau de vaisselle, était venu attraper l'autre côté du baffle.

Surtout bougez pas les gars, avait dit Ivan à Nunu et Couto. Ça me ferait trop mal de vous voir remuer le petit doigt.

Nunu avait attrapé les onduleurs, Couto les

amplis. En deux voyages ils avaient tout déposé sur la terrasse.

Ivan avait scruté la terrasse, regardé du côté du congélo.

Y a ce qu'il faut de munitions, ça va?

T'inquiète, avait dit Nunu.

Ivan s'était approché du long coffre vrombissant.

Ça te dérange pas si je regarde?

Ce que tu peux être chiant.

Il avait ouvert le congélo, plongé l'avant-bras dedans comme une sonde. Les canettes avaient tinté. Il y en avait des centaines. Et dessous des centaines d'autres.

Super, avait dit Ivan. Ils sont au courant, les flics, qu'on fait tout péter ce soir?

Ils te lâchent pas d'une semelle les flics, avait dit Nunu, t'en fais pas.

Ivan s'était marré. Il avait monté chez lui un petit studio, un des plus courus de la ville, et venait coup sur coup d'enregistrer deux tubes pour la présidentielle. Deux singles chantés l'un par Binham, son partenaire de chant sur scène, l'autre par Manecas Costa, la voix la plus célèbre du pays. Deux tubes qui appelaient bien sûr à voter contre l'armée. Maintenant les boîtes de nuit et les radios les passaient en boucle. Dans tous les taxis, toutes les boutiques, il ne s'écoulait pas cinq minutes sans qu'on entende Binham beugler bien fort en guise de remerciements, dès les premières mesures: *Obrigadu Ivan Barbosa!*

Il avait remis ses lunettes de soleil, était retourné à sa voiture.

Qu'est-ce que tu fous, tu repars déjà, avait dit Couto.

Je vais chercher le reste. Je sais pas si vous avez remarqué mais y manque encore la moitié du matos.

Il s'était assis au volant, avait fait demi-tour.

Allez, bande de nazes. À toute.

Obrigadu Ivan Barbosa! la première fois que Couto et les autres avaient entendu le morceau à la radio ils avaient cru mourir de rire. Les cons, avait pensé Couto. Les énormes cons. Ils avaient ri. S'étaient sentis rallumés.

Il a même pas vu mon taxi, cet âne, avait dit Nunu.

Ta couveuse. Je l'avais oubliée celle-là.

Le taxi était toujours là, dégueulant des plumes.

Nom de dieu Nunu y avait combien de pondeuses là-dedans, c'est pas possible.

Une sirène de police s'était rapprochée en hurlant.

Ils nous emmerdent, avait dit Nunu en relevant la tête.

Il avait regardé les soldats juchés sur la plateforme des camions, raides dans leurs gilets pare-balles, mitraillette au poing, yeux dissimulés sous la visière de leurs casques. Les camions les emportaient à toute allure, engoncés dans leur harnachement, inanimés, inexpressifs.

Nunu avait cherché le regard de l'un d'eux, cru un instant le croiser.

Mais le camion était passé sans que le soldat cesse de fixer un point au loin, bien au-delà du Chiringuito.

Nunu avait mis ses mains en porte-voix :

Régime de merde !

Son cri avait fait se retourner un homme dans le virage.

Régime de merde ! avait répété Nunu, de toutes ses forces cette fois. Mais avant de crier il avait soigneusement attendu que les camions aient disparu.

Atchutchi dans ses chansons ne disait pas amour, il disait *baliera*, quelque chose à mi-chemin du balancement et de la danse. *Baliera* comme le flux et le reflux du désir, des océans, des astres. *Baliera* comme le grand balancement du monde, la soif universelle d'aimer. Les hommes et les femmes de ses chansons n'y pouvaient rien, ils étaient les jouets d'une houle qui les bringuebalait de-ci de-là, imprévisible, toute- puissante.

Baliera sin rumo,
ku da kosta pai rumado
i bali pena rumau oh.

Oh soif d'aimer sans fin,
qui nous pousse d'un côté et puis de l'autre,
qu'il vaut la peine de s'abandonner à toi.

Voir Miguelinho, avait soudain pensé Couto alors qu'Ivan venait de repartir. Aller rendre visite à Miguelinho chez lui, comme je ne l'ai plus fait depuis des années. Sentir ses mains sur mes épaules. Avoir un moment tous les deux avant d'aller retrouver les autres. Rien que lui et moi.

Il avait laissé derrière lui le Chiringuito et son bord de goudron. Il avait pris à gauche, entre un kiosque à sandwiches et une vieille maison aux claustras mangés de volubilis. Un passage minuscule, qui grimpait en serpentant vers le haut de la colline.

Il s'était enfoncé dans le labyrinthe de ruelles de Calequir et aussitôt ç'avait été comme si la ville avec son bitume et ses taxis se trouvait abolie, reléguée très loin en arrière. Plus de voitures, plus même de bruits de voitures. Plus rien partout que le sol rouge raviné, le dédale des ruelles en pente, l'enchevêtrement des maisons, des fils à linge, des arbres, papayers, bananiers, baobabs à la peau cuirassée, manguiers entre lesquels se découvraient des toits de tôle qui brillaient dans le soleil, certains plus rouillés que d'autres, rafistolés par endroits de raccords pareils à des emplâtres.

Il était passé devant le *salon di film* du quartier, un cinéma aux cloisons de joncs tressés où passaient en continu des films d'action américains et des séries télé brésiliennes. Il avait approché l'œil pour voir par un trou s'il y avait du monde à l'intérieur, était resté une minute à regarder sur l'écran les images d'un porte-avions en flammes et de Steven Seagal se foutant sur la gueule avec tout un équipage russe.

Il avait continué à remonter la colline, franchi le caniveau connu pour marquer la fin de Calequir, était entré dans le quartier de Pilon.

Pilon et sa splendeur décatie, ses arbres vénérables, ses vieilles baraques croulantes et fières, sa tradition d'insoumission, ses ruelles dévalant du haut de la butte jusqu'à Pilon di Bas.

C'était dans ces ruelles qu'il avait grandi. C'était ce sol couleur de brique pilée que ses pieds avaient foulé depuis tout petit, poussière d'octobre à juin, boue de juin à septembre. Encore aujourd'hui il en connaissait chaque repli, en savait par cœur chaque arbre, chaque cachette. Pilon des Mandingues, des Papels, des Balantes, des Manjaks, des Peuls, de tous les peuples de Guinée. Pilon des combattants, des clandestins, des héros de la Révolution, des musulmans, des chrétiens, des animistes. *Si bu rikiti unson, tudu ta tchora*: enlèves-en un seul et c'est tout le quartier qui pleure.

Atchutchi lui avait consacré une chanson:

De la Guinée entière faisons un Pilon!
Un Pilon debout
qui tienne bon et ne recule pas!

Le jingle d'un bulletin d'infos avait retenti, venu d'une véranda voisine. Couto avait tendu l'oreille, s'était préparé à entendre la présentatrice annoncer la nouvelle.

Puisque à la radio aussi il faudrait bien qu'elle meure, avait-il pensé, et pendant quelques heures quelques jours alors tous les bulletins commenceraient par ça, toutes les stations passeraient les tubes de Dulce en boucle, jusqu'à en écœurer tout le monde, ce qui ne serait peut-être pas la façon la moins efficace de chasser la tristesse.

Mais le journal s'était une fois de plus ouvert sur l'affaire de l'étudiant tué. La speakerine avait annoncé les dispositions prises par l'armée vis-à-vis de l'auteur du tir malheureux, un dénommé Braima Ndjai, lequel venait de remettre sa démission au chef d'état-major Osvaldo Chico Gomes.

Couto avait écouté les mots calmes du soldat fautif. Le léger tremblement dans sa voix. Son effort pour rester maître de lui. La sincérité de ses excuses à la famille du gamin.

Si tous les militaires du pays valaient ce type.

Une voix familière avait pris le relais, calme elle aussi, mais habituée aux micros, habituée à se faire obéir, qui tremblait, mais d'un tremblement voulu, juste assez prononcé pour qu'on le remarque et pour signifier ce qu'il entendait signifier : la douleur d'un homme d'État qui malgré ses hautes responsabilités demeurait avant tout humain.

Gomes avait terminé sa déclaration et Couto avait reconnu sa façon de s'arrêter brusquement au milieu de son discours, presque au milieu d'une phrase, sans remercier, sans saluer, sans pérorer de quelque façon que ce soit. Concluant comme il commandait. Sans rien faire pour se rendre doux ni agréable. À la hache.

Couto se rappelait la fois où leur petite troupe avait reçu la visite surprise d'Amílcar Cabral en personne, de passage dans leur zone. Il avait revu le messager accouru les prévenir la veille au soir, alors qu'ils étaient presque couchés déjà : Cabral va venir. Cabral sera là demain pour la revue. L'excitation mêlée de frayeur qui s'était emparée d'eux tous, comme si c'était la Révolution en personne qui allait paraître devant eux.

Le matin était arrivé et ils s'étaient levés à la même heure que d'habitude, avaient comme d'habitude fait leur toilette, pris leur bol de café, entamé leurs exercices. Gomes ne s'était montré que vers dix heures bien sonnées.

On ne prépare rien, mon capitaine ? avait risqué un gars.

Pourquoi faudrait-il que nous préparions quoi que ce soit, avait répondu Gomes. Est-ce que nous ne sommes pas prêts vingt-quatre heures sur vingt-quatre.

Cabral était arrivé accompagné de deux hommes, en jeep, portant le même bonnet de laine que sur toutes les photos connues de lui, les mêmes lunettes d'intellectuel, la même barbiche intransigeante sous un visage dont la douceur autrement aurait pu être de femme.

Tous les gars s'étaient raidis, plantant leurs bottes dans le sol comme s'ils avaient voulu le défoncer, tenant le plus impeccable garde-à-vous de leur vie. Gomes avait marché à la rencontre de Cabral, l'avait salué comme un camarade, chaleureusement, sans déférence excessive.

L'avait remercié de faire à ses hommes l'honneur de cette visite. L'avait invité lui et ceux qui l'accompagnaient à faire le tour du camp. Tout cela si simplement, avec une telle absence de cérémonie que Couto se rappelait n'avoir pu s'empêcher d'écumer.

Le comandante bordel. Le comandante chez nous, en personne.

Cabral avait obtenu l'année précédente que l'ONU dépêche une mission d'experts dans les zones libérées. Pendant plusieurs semaines, trois émissaires avaient sillonné les forêts et les mangroves tenues par les maquisards, observé leurs efforts pour ériger partout écoles et hôpitaux de brousse, ateliers de tissage et de confection artisanale, coopératives, magasins. Ils avaient vu les forces armées révolutionnaires aux prises avec les Portugais, avaient constaté la différence de moyens, mais aussi de détermination. À leur retour ils avaient rédigé un rapport recommandant de soutenir les peuples bissau-guinéen et cap-verdien dans leur lutte pour l'indépendance. Cabral avait été accueilli à l'assemblée des Nations unies par une ovation de plusieurs minutes.

Le comandante bordel.

C'était Cabral qui avait initié cette guerre, confiant les différentes zones de lutte à des hommes qu'il avait lui-même choisis, enseignant à ces derniers à peine armés de revolvers au départ comment attaquer des convois et voler des armes, fondre sur les casernes la nuit, rassembler le matin les habitants d'un village pour leur offrir de rejoindre la lutte, disparaître le midi dans la forêt, ressurgir à quatre heures pour haranguer les hommes d'un autre hameau, à plusieurs kilomètres de là, se renfoncer dans la jungle, continuer de gagner lentement mais sûrement du terrain, d'éliminer les indicateurs, de diffuser même dans les zones les plus qua-drillées des messages radio pour impressionner les villageois, de profiter des campagnes de déni-grement des Portugais pour faire parler d'eux, gagner en popularité, commencer de ressembler à un parti crédible, capable de protéger ceux qui le rejoindraient, et plus simplement à une bande d'allumés condamnés à se faire fusiller dès qu'ils seraient pris.

C'était Cabral qui depuis des années arpen-tait le monde pour recueillir le soutien de pays toujours plus nombreux, Cabral qui parcourait le territoire en martelant partout que la lutte ne serait rien si après la victoire le pays ne tenait pas debout, si chacun ne se mettait pas déjà au travail, n'apprenait pas à lire et à écrire, ne com-mençait pas dès maintenant à défricher la terre, à planter du riz, même vous mes amis mandin-gues avait-il dit aux villageois de l'Est lorsqu'il avait été les voir, même vous mes frères qui ne touchez jamais le manche d'une pioche et trou-vez normal de rester assis là pendant que vos femmes labourent, parce qu'elles ont toujours labouré et que vous les avez toujours regardées faire.

Quand nous aurons notre pays et que notre peuple ne saura ni lire ni écrire, nous n'aurons encore rien, avait dit Cabral. Et aussi cette phrase : si l'un de vous porte un fusil et un autre un outil, le plus important des deux est celui qui a l'outil.

Un camarade balante avait assisté à la venue du comandante dans son village quelques années plus tôt, alors que la guérilla n'en était encore qu'au tout début. Il avait raconté la scène à Couto et à tous les autres : Cabral invité à manger chez le doyen du village, un petit vieux dont la femme et les filles avaient cuisiné toute la matinée. Et Cabral qui avait regardé son assiette et regardé le vieux :

Mais Papa, il n'y a même pas de viande dans ton plat.

Je suis désolé, avait dit le vieux devant tout le village.

Du riz et de l'huile rouge, Papa, c'est tout. C'est ça que tu me sers après les kilomètres que j'ai faits pour venir te voir. Tu ne pouvais pas me mettre un peu de poulet au moins.

Le vieux avait eu mal, mal à son amour-propre de Balante pour qui l'hospitalité était la chose la plus sacrée qui soit.

Je n'ai pas de poulets, avait-il dit en regardant le sol.

Ah bon tu n'as pas de poulets, toi le doyen de ce village. Tu as travaillé toute ta vie et tu n'as même pas un pauvre poulet à servir à tes invités. Mais tu as travaillé pour quoi alors.

J'avais des vaches et des cochons, avait dit le vieux, mais je n'avais pas d'argent pour payer l'impôt. Alors les Blancs ont pris les vaches et les cochons.

Mais ça te plaît ce qu'ils font les Blancs, avait demandé Cabral.

Ça ne me plaît pas mais qu'est-ce que je peux faire, avait dit le doyen. Ils sont forts.

Ils sont forts tant que nous ne le sommes pas plus qu'eux, avait dit Cabral.

Le soir il avait enregistré vingt recrues. La moitié des hommes du village. Et maintenant il était là devant Couto et les autres, en chair et en os, marchant avec Gomes qui lui parlait d'égal à égal, lui montrait comme à n'importe quel autre camarade les baraquements où logeaient les hommes, le dispensaire, la salle de classe improvisée où les habitants du coin venaient suivre des cours d'alphabétisation, les cuisines où les femmes s'affairaient autour de marmites de riz, rinçant de grands bols d'émail dans lesquels les soldats mangeraient tout à l'heure le repas à dix ou douze par plat, chacun sa cuillère à la main.

La revue avait eu lieu dans une grande clairière, la même que Couto devait revoir quelques semaines plus tard anéantie par un bombardement, les grands fromagers couchés pêle-mêle, leurs branches arrachées, leurs énormes troncs brisés. Solennellement Cabral était passé devant chacun des quarante soldats munis de mitraillettes, devant chacun des cent guérilleros en civil, fusil à l'épaule, chacune des vingt fillettes infirmières stagiaires, les saluant tour à tour, embrassant la benjamine qui lui avait remis en guise de souvenir la maquette d'hôpital en fer-blanc fabriquée par un amputé en convalescence au dispensaire. Il avait fait un bref discours, félicité Gomes et ses hommes pour la récente capture au sol de deux hélicoptères ennemis, affirmé en regardant ostensiblement Gomes qu'il était sûr que la Guinée possédait en lui un de ses fils les plus prometteurs.

Il était reparti et comme les autres Couto avait appris quelques mois plus tard son assassinat à Conakry, au bout du vingtième complot ourdi par la police politique portugaise. Un soir qu'il rentrait d'un dîner en ville, deux de ses hommes embusqués chez lui l'avaient abattu. On les avait pris et jugés. Ils avaient reconnu avoir agi pour le compte des services secrets portugais. Une enquête interne avait montré l'ancienneté de l'infiltration, gangrenant tous les étages du parti, touchant des dizaines d'officiers de tous grades.

Gomes avait fait partie des suspects, quoique aucun fait ne l'accusât, simplement parce que beaucoup étaient fatigués de son arrogance, de sa raideur, de ses coups de sang frôlant l'insubordination. Le procès l'avait disculpé, comme il était juste qu'il le fût.

Franchement déplaisant mais brillant : c'était ce qu'avait dit de lui Cabral en repartant de la clairière à bord de sa jeep. Et ce pronostic qui bien sûr n'avait pas manqué de lui revenir aux oreilles : ou bien ce Gomes se fera tuer dans l'année, mourra comme meurent les tarés de son espèce, c'est-à-dire de la façon la plus stupide et la plus inutile qui soit – ou bien il ira loin.

Peu de temps après le passage du comandante, Gomes avait été envoyé dans une autre zone. Couto et Nunu ne l'avaient plus vu pendant des années, s'étaient contentés de suivre de loin ses coups d'éclat, assistant comme les autres à son ascension rapide.

Couto, lui, s'était mis à la musique. Il y avait eu les années à se louer à qui voulait bien de lui, dans n'importe quel bar, à n'importe quelle heure, à se faire lentement mais sûrement repérer par les aînés en place. Et puis le Mama Djombo était né. Il y avait eu le festival de Dakar, les tournées cubaine, mozambicaine, angolaise, les enregistrements à Lisbonne. Et partout la liesse des gens, l'engouement des radios, l'euphorie des foules.

Dans le souvenir de Couto les dates se mélangeaient, les lieux se confondaient, ce n'était plus qu'un seul et même tourbillon ininterrompu qu'il regardait aujourd'hui non sans perplexité, comme une autre vie, une success-story qui le laissait presque incrédule.

Les années mundial, c'était le nom qu'ils donnaient à cette période quand ils en reparlaient entre eux, toujours pas remis trente ans après. Ils n'en gardaient pas de vanité, moins encore de nostalgie. Plutôt l'éternelle hilarité de ceux à qui la chance a souri. Qu'on a traités en rois même un jour, une heure.

Ça leur était tombé dessus. Ils avaient eu ça. La vie leur avait donné cette chose dont tous les musiciens rêvent. Que pouvait bien leur foutre tout le reste. Ne plus jouer qu'une fois de temps en temps, devant une bonne moitié de vieux mélancoliques. Ne plus attraper le dixième des accords qu'ils touchaient à l'époque.

Putain les stades avaient été à genoux devant eux. De Maputo à Stockholm on avait dansé sur leurs morceaux, on s'était arraché leurs vinyles, on avait passé leurs tubes en boucle sur les ondes.

Ils en avaient pris pour la vie, et sans qu'ils s'en rendent compte cela creusait un gouffre entre eux et ceux qui étaient venus après, les jeunes du groupe, si doués soient-ils : l'absence de quoi que ce soit à prouver à personne. Rien d'autre à l'instant de monter sur scène que la joie d'être là, de lever simplement les bras pour remercier les gens de continuer à les accueillir chaque fois du même sourire compulsif, puisqu'il en était toujours ainsi : ils montaient, et c'était là. Sans que personne y puisse rien. Sans qu'ils aient rien besoin de faire d'autre que poser leurs mains sur le cœur et dire de leur voix éraillée : *obrigadu*, merci.

Combien de fois Couto avait fait l'expérience de cette injustice : un groupe qui s'épuisait pendant deux heures à réchauffer une salle, à arracher au public un minimum d'applaudissements pourtant mérités. Et puis lui qu'on appelait sur scène à la fin, pour le clin d'œil, comme on rend hommage à un vieux tonton venu assister au concert de ses neveux. Et aussitôt l'ambiance qui basculait, l'émotion qui s'emparait de tous. Les gens qui se levaient de leurs tables à la vue de sa silhouette d'échalas montant sur l'estrade et s'approchant du micro en titubant, embrassant chacun des musiciens pour les remercier d'avance. Les spectateurs qui se pressaient tout d'un coup devant la scène pour le fêter. Les musiciens eux-mêmes qui, à ses côtés, accédaient soudain à un naturel, une liberté pas même entrevue pendant les deux heures qui avaient précédé.

Coutooooooooooooo!

Dans son souvenir ces trois années n'étaient pas seulement l'âge d'or du groupe. C'étaient les années Dulce. Indissociable de ce pan de vie, elle était là, avec son sourire, sa fierté, ses sautes d'humeur. Si intimement mêlée à l'ivresse de cette période que Couto ne pouvait dire ce qui, de son éclat, tenait à l'histoire qu'ils avaient eue ou à l'euphorie ambiante d'alors.

Pouvant la revoir le provoquer les soirs de concert où fatigué il ne se donnait qu'à moitié, restait en retrait, se cachait derrière les solos d'extraterrestres de Tundu et la guitare de Miguelinho.

Se retournant pour le chercher des yeux en se marrant, Hé Couto t'es où? t'es où espèce de planqué?

Tundu terminait et tous s'arrêtaient sur un signe de Dulce, le laissant seul, obligé de plonger, forcé d'y aller lui aussi de son tour de piste. Sous leurs regards hilares il se lançait sans faillir, attaquait calme, sans hâte de convaincre, confiant dans le temps. Dessinait sa phrase en laissant chaque note vivre longtemps, ne lâchant la suivante que sur la fin du temps chaque fois, comme un équilibriste qui attend d'être presque tombé pour se rétablir, décuplant l'émotion du public chaque fois qu'après lui avoir fait craindre l'absence d'inspiration non seulement il trouvait mais trouvait plus beau, plus lumineux que tout ce que les centaines d'oreilles tendues vers lui avaient pu imaginer. Il bouclait son solo sur une dernière dissonance rattrapée in extremis et dans le public c'était la même euphorie, les mêmes cris que pour Tundu un peu plus tôt, *Lunguuuuuuu!* criait Chico en recommençant à jouer, *Lunguuuuuuu,* le long, le maigre, cette crevure de long et maigre qui quand on va le chercher trouve toujours à nous sortir des merveilles, est-ce qu'on saura jamais où il va les prendre.

Dulce se remettait à chanter en se retournant pour lui sourire et il pouvait sentir de tout son être qu'elle le voulait, que s'ils n'avaient pas été sur scène elle lui aurait sauté dessus dans la seconde.

Couto à la figure de nuit, à la carcasse trop grande, aux grands os trop maigres et trop longs d'arbre des forêts de Boé. Aux haussements d'épaules gênés qui auraient pu la décevoir et qui au contraire la faisaient fondre.

Répétant pourquoi faut-il que ce soit toi Couto. Pourquoi toi le second rôle et pas Tundu le soliste, pas Chico la grande gueule, pas Atchutchi le cerveau.

Sa confusion la première fois qu'elle s'était retrouvée nue contre lui, le jour de leur fugue au bord de la mer, son petit sexe tout humide de désir. Comment elle s'était interminablement dérobée à ses caresses au début, l'épuisant le cherchant inlassablement des mains elle mais grondant dès qu'il essayait d'en faire autant. Fermant les jambes et disant *naw* avec de gros yeux comme si c'était mal, *naw* comme s'ils pouvaient tout faire mais pas ça, pas se donner du plaisir en se caressant l'un l'autre, comme s'ils étaient les derniers des pécheurs d'en crever d'envie et si la seule façon de se racheter un peu était d'afficher au moins l'apparence de scrupules.

Et puis comment au bout d'un moment elle s'était allongée sur le ventre pour le laisser la regarder, l'adorer.

Dulce tes fesses je voudrais les manger.

Il *faut* les manger Couto.

Les cadenassant en riant chaque fois que ses caresses se rapprochaient. Plongeant la tête dans un pagne roulé en boule et se cambrant à nouveau pour les lui tendre.

Il faut les manger Couto. Mange-les.

Cela dix fois, vingt fois.

Mon désir fou d'elle, avait pensé Couto, et il lui avait semblé la revoir devant lui cet après-midi-là, revoir la merveille de son cul offert dans un éclat de rire mêlé de crainte.

Une chanson sur ton cul, Dulce. Toute une chanson rien que pour lui, à lui. *Kantiga pa kadera di Dulce.*

Dulce capable si une fille l'approchait un soir de se venger en l'ignorant toute la journée du lendemain, toute la journée du surlendemain, cela impitoyablement, avec la formidable endurance dont sa tête de pioche était capable, comme s'il n'existait plus, n'était tout simplement plus là sur scène ou en répétition à côté d'elle, ne méritait plus que mépris, pas même mépris, invisibilité, pur déni d'existence.

Ils s'étaient quittés comme on se quitte à cet âge, on morfle un peu et puis qu'est-ce que ça fait, est-ce que la vie n'est pas tout entière à venir encore.

Un soir le groupe avait donné un concert de charité au Salão de Luxo, devant un de ces publics que Chico et Serifo avaient pour habitude de désigner d'un nom générique, les *djugudés*, les vautours, oh non demain on se cogne encore les *djugudés* et leur morgue, leur suffisance, leur ennui, les *djugudés* pitié non. Ce soir-là les vautours avaient un mérite : ils étaient tous passés à la caisse avant d'entrer, trente mille balles par tête, reversés à la caisse de soutien aux sinistrés des dernières inondations de Gambeafada, quartier qui se trouvait être celui de Tundu.

Au moment de monter sur scène, Couto avait

reconnu Gomes au troisième rang. Il lui avait adressé un signe de la main, avait vu Gomes lui sourire en retour d'un air complice, un regard qui voulait dire *no ta djuntu*, on est ensemble.

Le groupe avait joué ce soir-là comme Chico et Serifo affirmaient qu'il était bon de jouer pour les vautours, pépère, sans fougue excessive, sans virtuosité inutile non plus, à l'économie. Seule Dulce avait fait un peu plus que le strict minimum, se prenant au jeu, se laissant aller au plaisir de chanter, battant des mains pour entraîner la salle à sa suite, épaules nues, bracelets de cuivre tintant à ses poignets. De retour dans les loges après le dernier rappel Couto et les autres avaient trouvé une enveloppe pour elle. À l'intérieur il y avait une carte blanche, avec simplement deux lignes griffonnées d'une main sûre : *Je serais si heureux de boire un verre avec vous après le concert. Me ferez-vous cette joie ? Osvaldo Chico Gomes.*

Dulce avait regardé Couto.

C'est ton Gomes à toi, non ?

C'est ce maudit Gomes, oui.

Il était déjà là la dernière fois, avait dit Dulce. Tu l'aurais vu. Sa façon de me regarder.

Pendant les concerts on te regarde tous d'une façon, avait dit Couto et il l'avait embrassée dans les cheveux, était allé se changer, ranger sa guitare, blaguer avec Chico et Miguelinho.

Quand ils étaient sortis Gomes était là.

Mon chauffeur nous attend, avait-il dit à Dulce. Je vous enlève ?

Cela d'un air d'évidence. Comme s'il ne concevait pas qu'on puisse lui dire non.

Dulce avait regardé Couto. Gomes l'avait prise par le bras.

Couto vous me permettez.

On ne retient pas Dulce.

Ils étaient montés en voiture, avaient disparu derrière les vitres teintées, filé au loin. Dulce était revenue à deux heures du matin, l'air d'avoir passé une bonne soirée. Elle sentait le vin, parlait fort. Ses gestes étaient brusques dans la chambre endormie. Elle était venue embrasser Couto dans le lit, était restée quelques secondes penchée sur lui comme un oiseau. Il avait senti le contact de ses lèvres, de ses cheveux, reconnu son parfum mêlé d'odeurs d'alcool et de cigarette froide, l'odeur des bars la nuit.

Elle s'était relevée et avait disparu dans la salle de bains, y était restée un moment sans que Couto sache ce qu'elle faisait, sans qu'il l'entende ouvrir ne serait-ce qu'un robinet, perçoive rien d'autre que le frôlement de son corps debout devant le miroir, le tintement d'un bracelet ôté, d'une boucle d'oreille posée sur le lavabo, le clic d'une pince à cheveux ouverte.

Qu'est-ce que tu fais, avait demandé Couto.

Rien.

Elle était ressortie et avait commencé d'enlever ses chaussures, ses vêtements, enfilé un tee-shirt.

Il veut m'épouser, avait-elle dit simplement, en peignant doucement ses cheveux, le dos

tourné, du même ton indifférent qu'elle aurait
dit il paraît qu'il va pleuvoir demain, ou au fait
est-ce que tu as pensé à récupérer le châle que
j'avais oublié dans les loges.

Ça fait trois samedis de suite qu'il vient à nos
concerts et il dit qu'il n'a pas besoin d'en savoir
plus, que c'est moi qu'il veut, que je le rendrai
heureux il en est sûr.

Elle avait attendu un instant, puis voyant que
Couto ne disait rien elle s'était tournée vers lui.

Il veut m'épouser Couto, tu entends.

J'entends.

Et alors. Tu ne dis rien. Tu t'en fous.

Non j'attends.

Tu ne veux pas savoir ce que j'ai répondu.

Bien sûr que si.

Couto s'était un peu renfoncé dans le lit.

Je lui ai dit que c'était absurde. Qu'il ne savait
rien de moi. Et puis j'ai dit que j'avais soif. Qu'il
me fallait du vin. Du bon vin. Le meilleur qu'ils
aient. Il a commandé une bouteille et nous
avons passé le reste de la soirée à boire. À boire
et à danser.

À danser, avait dit Couto. Gomes danse
maintenant.

Il danse.

Et après.

Après il m'a raccompagnée ici, devant ma
minuscule maison, la seule où il y avait encore
de la lumière. Et me voilà.

On dort? avait dit Couto. Je suis fatigué.

Si tu veux.

Elle avait éteint, s'était couchée contre lui dans le noir, avait voulu se serrer contre ses jambes. Il n'avait pas bougé.

Mon Couto ça va?

Ça va. Le concert m'a crevé je crois.

Les vautours, avait dit Dulce en souriant. Les vautours t'ont crevé.

Je t'ai attendue. Je me suis inquiété.

Inquiété de Gomes. Qu'est-ce qu'on peut bien avoir à foutre de Gomes.

Ils étaient restés immobiles l'un près de l'autre sans rien dire. Couto avait fini par s'endormir. Toute la nuit il avait senti Dulce qui se tournait et se retournait près de lui, incapable de trouver le sommeil. À l'aube c'était lui qui s'était redressé dans le lit, avait regardé les objets immobiles dans la chambre encore plongée dans le noir, les draps froissés sur le corps de Dulce, son épingle à cheveux sur la petite table, ses vêtements sur le dos de la chaise. Il s'était levé sans bruit, s'était fait un café. Était sorti se promener dans la ville encore endormie.

Il ne l'avait revue que le soir, à son retour, assise dans le canapé du salon.

Pouvant réentendre les mots qu'elle avait dits à l'instant où il était entré, de but en blanc, sans rien faire pour l'y préparer, comme si elle avait eu peur de ne pas réussir à les dire si elle attendait une seconde de plus. Ces mots qu'il avait devinés inéluctables dès le premier instant, puisque les choses étaient ainsi faites et qu'il n'était pas dans l'ordre des choses qu'on les bouscule – puisque guitariste à succès c'était bien mais chef d'état-major incontestablement mieux.

Je vais dire oui Couto.

Couto tu entends j'ai décidé de dire oui.

Le regardant recevoir la nouvelle comme une gifle et accourant se serrer contre lui. Comme si elle n'avait plus rien à craindre à présent, plus à se défendre d'aucune faiblesse, pouvait tout lui dire, tout lui faire, même le serrer d'une étreinte qui voulait dire pardon Couto que j'aime, pardon d'être celle-là qui te quitte pour un moins aimé mais plus puissant, plus sûr, plus gros.

Le crâne barbouillé de mousse, José Pedro trônait sur une racine, jambes écartées. Lourenço et Amadou étaient debout près de lui, un grand couteau de boucher à la main. Du tranchant de la lame, ils lui raclaient méthodiquement le cuir chevelu.

Couto avait trouvé la bande de gamins à l'endroit habituel, sous l'éternel manguier où ils venaient tous les jours bavarder, fumer, boire, attendre. Attendre surtout : que la journée se passe. Que quelque chose arrive. Qu'une vague vienne les cueillir et les emporter vers du neuf.

No ta djubi situason, disait Lourenço. C'est-à-dire : on observe. On regarde ce qui se passe.

Leur manguier s'apercevait de loin, vénérable, immense, dispensant ombre et fraîcheur à tout un morceau de ville. Arbre forêt à lui tout seul, arbre-grotte, repaire à chauves-souris et à chercheurs d'ombre de toutes espèces qui se dressait juste en retrait du chemin, branches puissantes, feuillage noir, racines cramponnées au sol d'une prise profonde, avec clouée à mi-hauteur du tronc cette petite pancarte peinte : PARLAMENTO AMIZADE, Parlement Amitié. Nom plutôt bon enfant à côté de ceux d'autres bandes de la ville, Desperados, Bissau Devils, Fightmen et consorts.

Hé Couto ! avait crié un des gamins en le voyant approcher.

Eh merde, avait pensé Couto.

Il avait hésité à se contenter d'un signe de la main et à bifurquer avant d'atteindre l'arbre. S'était ravisé. Puisque c'étaient invariablement ces gosses qui possédaient les nouvelles les plus fraîches de la ville. Puisqu'il semblait que leurs oreilles et leurs bouches aient été conçues pour ça : capter et relayer chaque rumeur, chaque soupçon de rumeur.

Hé les gars. Comment vous allez.

Nbon, avait dit Lourenço en se redressant, les mains pleines de mousse. *Muitu nbon.*

Comme tout Parlement qui se respecte, l'Amizade avait son président, son vice-président, son secrétaire général, ses simples députés, tout juste autorisés à siéger, son commando, ses gardes du corps. Pour ça ce fichu pays était magique : il suffisait de veiller trois minutes sur un fourneau à thé pour en devenir le commandant, de verser trois fois du *vino tinto* à des amis pour se voir proclamé secrétaire d'État au pinard.

Lourenço avait regardé Couto du haut de sa racine.

Tu vas chez Miguelinho, je parie.

Couto avait acquiescé.

Bande de fouines qui lisaient dans la démarche et les yeux de chaque passant. Qui devinaient les pensées du premier venu rien qu'à l'énergie de ses foulées.

Et vous qu'est-ce que vous foutez, avait dit Couto.

On se rase, avait dit Lourenço.

Et à l'adresse de José Pedro, assis sous la lame d'Amadou :

Tu vas être toute belle, ma poule, tu vas voir.

Amadou avait ri, le couteau glissé.

Faites gaffe, merde, avait dit José Pedro.

Du sang s'était mis à couler. José Pedro s'était passé la main sur la coupure, avait regardé le bout de ses doigts rougis par le sang, envoyé un crachat dans le sable. Il s'était relevé, épaules et pectoraux saillants, avait essuyé du revers de la main les restes de mousse sur son front et derrière ses oreilles, attrapé par terre un bout de miroir pour voir l'estafilade.

C'est bon tu vas pas pleurer, avait dit Lourenço.

José Pedro l'avait regardé.

Attends que je te rase moi.

Il s'était tourné vers Couto, comme s'il consentait enfin à noter sa présence.

Il est chez lui, Miguelinho. Je l'ai vu ce matin sur sa terrasse.

Tant mieux, avait dit Couto. Et va te faire foutre, avait-il pensé en regardant José Pedro se pulvériser du déo sous les bras, enfiler un débardeur, contracter devant les autres ses biceps de coq dont le grand fait de gloire quotidien consistait à effectuer cent tractions d'affilée à une branche. José Pedro le Ninja. Le Samouraï. Le *matadur*, le tueur, et pas mal d'autres surnoms plus crétins les uns que les autres encore.

C'était le seul de la bande que Couto ne pouvait pas blairer. Il avait posé le miroir par terre pour enfiler sa ceinture. Pitche, le plus malingre de la bande, un gamin frêle comme un moineau, avait voulu se baisser pour le ramasser.

Qu'est-ce qu'il fout le *nhongoli*, avait gueulé José Pedro. Non mais tu t'es cru où mon pote.

Il avait filé à Pitche une taloche monumentale, à lui décoller le haut de la boîte crânienne.

Nhongoli: le maigre à faire peur, le sans-forces.

Pourquoi vous vous rasez les gars, avait demandé Couto.

À ton avis.

Je sais pas. Vous allez danser à Bambu.

Lourenço s'était marré.

C'est un peu ça, ouais.

Couto avait regardé le crâne déjà rasé d'Amadou, aperçu Pitche en train de se déshabiller pour passer à son tour sous la lame.

Me dites pas que vous allez filer un coup de main à ces salauds.

Lourenço avait jeté un chuintement de lèvres sonore.

T'es pas venu nous faire la morale j'espère.

Me dites pas que vous y allez.

Et comment qu'on y va, avait dit José Pedro.
Pas plus tard que ce soir on y va.

Qu'est-ce que tu racontes.

Comme si t'étais pas au courant.

Qu'est-ce qui se passe ce soir.

Prends-nous pour des cons vas-y.

Il sait pas, avait dit Sékou. Vous voyez bien
qu'il sait pas.

José Pedro avait craché par terre.

T'es pas au courant que Gomes bouge ce soir.

Couto avait encaissé.

Non.

Foutus gamins qui savaient tout avant les
autres, apprenaient les premiers chaque nouvelle, chaque naissance, chaque décès surtout.
Tristes oiseaux qui passaient le plus clair de
leurs journées à ça: propager des nouvelles de
mort.

Ce soir ça bouge grave, avait dit Lourenço.
Ils ont même prévenu qu'ils auraient besoin de
renforts.

Et vous bien sûr vous y allez, avait dit Couto.
Comme les couillons que vous êtes, vous y allez.
On vous sonne, vous courez. Ça vous dérange
pas de les aider à tout bousiller.

Tout bousiller quoi, leur second tour minable.
La victoire d'un bouffeur plutôt qu'un autre.

Gomes va le faire, avait pensé Couto, et
pensant cela il s'était rendu compte que jusque-là
son pessimisme n'avait été que de façade, un
pessimisme presque par superstition, comme
on appelle Serpillière ou Personne-n'en-veut

ou Graine-de-bouye-déjà-sucée les enfants auxquels on tient par-dessus tout, dans l'espoir d'en
détourner le mauvais sort.

Il avait repensé à Keba et à son enthousiasme.
Aux *Viva Gomes* euphoriques du soir du premier tour. À Gomes lui-même qui avait dû se
trouver un moment à la croisée des chemins,
face à ce dilemme, rester fidèle au jeune Gomes
d'autrefois, au capitaine prêt à risquer sa vie
pour son pays, au général qui monté en grade
s'était d'abord battu pour conserver une rela-
tive intégrité, ne pas renier tous ses idéaux, en
tout cas ne pas avoir l'air de les renier aux yeux
du peuple. Ou céder aux pressions des narcotrafiquants, à l'appât de leur argent, à l'effroi
de leurs représailles. Céder et n'être plus que
cela : un fossoyeur parmi d'autres. Un nom de
plus dans la longue liste des larbins qui auraient
laissé les narcos saigner le pays. Un larbin sur-
nageant peut-être un peu pour avoir éphémère-
ment rallumé un semblant d'espérance, s'être
donné pendant quelques jours des airs de juste,
mais qui comme les autres aurait fini par se cou-
cher, comme les autres aurait lâché les camions
de militaires contre son peuple à l'exact instant
où on le lui aurait ordonné.

Lourenço avait pris la bombe de mousse à
raser, appuyé dessus contre le crâne de Pitche.
Une noix de gel bleu en était sortie. Les longues
mains de Lourenço avaient commencé à masser
le cuir chevelu du gamin, le shampouinant doucement, maternellement.

Me dites pas que Pitche aussi, avait dit Couto.

Les gosses s'étaient regardés sans répondre.

Ho je vous parle, avait dit Couto. Pitche il y va aussi, oui ou non.

Tu vois bien qu'on le rase, avait dit Lourenço. Bordel Pitche il fait pas quarante kilos.

Qu'est-ce qu'ils s'en foutent. Il écoute, il fait ce qu'on lui demande. Il tire quand on lui dit de tirer.

Couto avait regardé le gamin au crâne couvert de mousse. Pitche battait des jambes dans le vide pour dire à Lourenço de continuer, ignorant superbement sa présence.

Vous êtes malades les gars. Complètement malades.

Un soupir d'exaspération était venu du pied de l'arbre. C'était Septimo, resté silencieux jusque-là, assis dans son coin comme à son habitude.

Qu'est-ce que ça peut te foutre de toute façon.

Sa voix était posée, calme. D'un détachement qui imposait aussitôt silence à tous les autres.

Moi j'y vais pas, mais pas parce que j'ai peur que ça bousille quoi que ce soit. Simplement parce que ça m'intéresse pas. Parce que contrairement à eux ça m'excite pas de jouer avec une arme comme dans les films.

Couto l'avait regardé, pas aussi petit que Pitche mais presque, les épaules mal gaulées, les pieds en dedans. *Nsaninhu*, le rat palmiste, c'était le nom que lui donnaient les autres. *Nsaninhu* à cause de la vitesse à laquelle il grimpait aux arbres. Et bien sûr aussi pour l'humilier, lui faire mal, se venger un peu de son intelligence.

Son intervention les avait douchés. Plus personne n'osait moufter.

Et le taxi de Nunu, avait dit Sékou au bout d'un moment. Il te l'a montré son taxi?

Ouais il me l'a montré, avait dit Couto.

Vas-y il te l'a montré et tu dis rien!

Tu voudrais que je dise quoi.

Comment tu le trouves, vas-y.

Du moment qu'il me demande pas de monter dedans.

Lourenço s'était esclaffé.

Je lui dis depuis le début, qu'il est pourri.

Attends il l'a pas payé cher, avait dit Sékou. Tu sais combien ça vaut neuf. Je te parle même pas des droits de douane, juste la voiture à prix d'usine en Allemagne, tu sais combien ça coûte. Deux millions la Merco c'est rien.

Couto s'était étranglé. Nunu ne lui avait parlé que d'un million et demi. À ce prix-là déjà, c'était du ramonage. À deux millions ça devenait de l'extorsion de fonds.

Vas-y dis-lui Sékou, avait fait Pitche. Dis-lui que Nunu il t'a emmené faire un tour hier. Dis-lui qu'il t'a laissé le volant.

Sékou avait haussé les épaules.

On s'en fout de ça. Quand je veux il me laisse le volant Nunu, il me connaît. Il travaille d'abord un an tout seul, il m'a dit, le temps de se rembourser. Et puis il achète une deuxième Merco et il me prend comme chauffeur.

Il te file la nouvelle et il se garde la couveuse, avait demandé Couto.

T'es ouf. La nouvelle il la garde pour lui, et moi je reprends la vieille. Dans un an j'ai mon taxi, les gars, vous entendez. Un an et allez, dans le taxi de Sékou les mamas qui reviennent du marché, les professeurs en costume, les minettes bien belles bien propres là qui vont en soirée. Et mon taxi je te le brique, je te le bichonne. Les portières bien graissées, les sièges recousus, tout nickel. Qu'on me voie arriver de loin et qu'on dise : enfoiré de Sékou son taxi il est chic.

Lourenço et les autres s'étaient marrés.

Sékou Taxi Chic, avait dit Sékou, voilà. En belles lettres bien peintes là sur le capot. Avec des petits autocollants. Des proverbes stylés. L'homme propose, Dieu dispose. Il est plus difficile au riche d'entrer au royaume de dieu que je sais plus quoi, le truc du chameau là. Et alors là c'est fini. Vous me voyez plus traîner ici les gars. Sékou plus jamais vous le voyez. Attendez, vous croyez que Sékou il reste encore longtemps à moisir comme ça là sous un arbre. Sérieux! Encore un an et sur ma tête je m'arrache, sur ma tête Sékou vous le voyez plus.

Un *ntchip* était venu du coin de Septimo.

Ramène déjà de quoi te payer un plat de riz.

Les visages s'étaient tournés vers le *nsaninhu*.

Vas-y Septimo qu'est-ce que t'as, on n'a plus le droit de rigoler c'est ça.

J'en peux plus de ses conneries.

Vas-y Septimo Sékou il a le droit de parler

quand même, avait fait Pitche. Qu'est-ce que ça te fait, t'es jaloux c'est ça.

Septimo s'était levé. Les autres l'avaient regardé descendre les marches pour s'en aller.

T'es grave mon pote.

C'est vous qui êtes graves.

Il avait disparu au coin de la rue.

Il est grave, avait dit Pitche.

Laisse.

Son rasage terminé, Pitche s'était levé, avait passé les deux mains sur son crâne en se regardant dans le bout de miroir. Lourenço s'était assis à sa place, avait enlevé son tee-shirt, donné le couteau à Amadou.

C'est moi qui le rase ce bâtard, avait dit José Pedro.

Il avait pris le couteau à Amadou.

C'est moi qui le rase, compris.

Il avait fait mousser le crâne de Lourenço. S'était mis à le balayer à grands gestes amples du tranchant de la lame, comme on lave une vitre à la raclette. Lourenço avait serré les dents sans broncher. Cela avait duré une bonne minute, sans que personne dise un mot.

Ça y est tu peux te rincer, bâtard, avait dit José Pedro en puisant un bol d'eau dans la bassine et en le tendant à Lourenço. C'était pas méchant, tu vois.

Lourenço avait pris le bol et se l'était versé sur le haut du crâne en fermant les yeux. La mousse avait coulé sur le sol rouge, l'eau ruisselé sur son visage, formant des gouttelettes brillantes au coin de ses paupières et de son nez. Il s'était regardé dans le bout de miroir. Sa tignasse disparue, il avait l'air d'un minot. Un minot dur à cuire, mais un minot.

Septimo était revenu avec un sachet plastique noir qu'il avait tendu aux autres.

Des beignets de chez Néné, avait dit José Pedro.

On peut, avait demandé Sékou.

À votre avis, si je les apporte.

Le sachet était passé de main en main. Couto s'était servi, avait mordu dans son beignet. Au cœur de la boule de pâte brûlante, ses dents avaient rencontré une rondelle de banane fondue. Le sucre s'était répandu dans sa bouche comme du caramel.

Néné la marchande donnait parfois aux gamins un reste de riz ou d'igname. Parfois un bout de pain avec un fond de pâte de sardines écrasées. Mais des beignets, jamais. Il avait fallu que Septimo les paie. Ou les échange. Contre quoi.

Il avait fini de faire passer le sachet et était venu s'asseoir près de Couto.

C'est vrai que Dulce est morte?

Ce qui s'appelait ne pas y aller par quatre chemins. Il avait posé la question d'une voix douce, hésitante, comme s'il avait peur d'entendre la réponse.

Qui t'a dit ça, avait demandé Couto.

Les gens.

Quels gens.

C'est vrai ou pas.

Couto s'était senti triste.

C'est vrai.

Il avait vu le visage de Septimo se tordre à côté de lui. Septimo sur qui glissaient même les plus vaches humiliations infligées par les autres.

Fait chier, avait dit doucement le gosse.

Sa voix tremblait.

Fait chier.

Parmi les rares petits boulots qu'il avait réussi à trouver ces derniers temps, il y avait eu quelques courses pour Dulce, sur la recommandation de Couto. Trois fois rien, quelques achats au marché de temps en temps, la recherche d'un bon menuisier auquel faire faire une table pour la salle à manger de la villa. Des bricoles, mais dont il s'était toujours acquitté comme il s'acquittait de tout: sans poser de questions inutiles, avec la plus parfaite efficacité.

Dulce s'était prise d'affection pour lui.

Il a l'air tellement triste ce gosse, disait-elle à Couto. Tellement intelligent et tellement triste.

Septimo avait pris l'habitude d'aller la voir tous les mercredis à la villa.

Dulce tellement belle et tellement seule, disait-il à Couto. Tellement minuscule au milieu de sa villa trop grande et de son jardin rempli de fleurs venues d'ailleurs, d'Amérique, d'Europe, d'Arabie, de partout sauf d'ici, comme si les jardiniers de Gomes ne savaient pas que notre sol aussi en a des milliers.

La dernière fois que Couto avait vu Dulce

au milieu de son jardin, c'était le jour de son mariage avec Gomes, il y avait bien longtemps. La date de la cérémonie arrêtée, elle était venue le trouver chez Zé :

Couto je voudrais que vous jouiez pour la fête.

Cela avec un grand sourire.

Je voudrais que vous soyez là. Que ce soit vous qui animiez la fête après le mariage. Vous et vous seuls.

Couto l'avait regardée pour voir si elle plaisantait.

Ils nous haïssent, Dulce.

Qui ça, les vautours, avait dit Dulce en riant. Ils nous adorent. Ils n'écoutent que nous. On pourrait les traiter de n'importe quoi dans nos chansons, ils continueraient d'acheter nos disques.

De toute façon Gomes n'acceptera jamais.

Je l'ai prévenu : c'est vous qui jouez ou je ne l'épouse pas.

Couto avait grogné.

J'aurais pu faire pire, avait dit Dulce en se marrant : te demander d'être mon témoin. J'y ai pensé.

Et si les autres refusent, avait dit Couto.

Mais les autres n'avaient pas refusé. Allez on le fait pour elle, avait dit Atchutchi, avait dit Chico, avait dit Couto lui-même, avaient-ils dit tous ensemble. Et quelques semaines plus tard avait eu lieu cette scène improbable : douze musiciens supposés subversifs, en tout cas regardés comme tels par la ligne dure du parti, qui s'étaient retrouvés à jouer à la résidence d'un des plus hauts dignitaires du régime, précisément pour ce haut dignitaire, précisément devant ceux qui avec lui incarnaient le plus directement ce régime. Douze musiciens supposés subversifs qui avaient docilement chargé leur matériel à l'arrière du pick-up acheté avec l'argent de leurs tournées au Mozambique et à Cuba, étaient docilement venus se garer rua Santa Luzia devant la villa aux massifs de bougainvilliers et aux persiennes vert amande, avaient docilement débarqué dans le jardin leur sono et leurs instruments pour offrir un concert à l'homme qui leur prenait Dulce.

En arrivant ils avaient trouvé la villa déserte encore, sans personne d'autre qu'un camion de militaires et le personnel affairé à dresser les tables au milieu du jardin. Ils avaient installé le matériel, effectué leurs réglages, choyés comme des vedettes par les militaires qui dès qu'ils les avaient reconnus s'étaient précipités pour les aider, les photographier, leur soutirer une casquette floquée du nom du groupe, une montre, une vieille corde de guitare cassée, si ravis qu'ils auraient vidé leur chargeur entier en l'air si Chico ou Atchutchi avaient levé le petit doigt pour le leur demander.

Puis des volées de cloches avaient sonné au loin, du côté de la cathédrale. Les premiers invités avaient rappliqué. Des dizaines de berlines aux vitres sombres étaient arrivées, emplissant le parking de la villa d'abord, puis l'allée centrale, puis bientôt toute la longueur des deux trottoirs de la rue. De toutes parts le jardin avait commencé à se remplir d'invités endimanchés, haut gradés de l'armée, hiérarques du Parti, dames dont les robes venues de Lisbonne et Paris s'étaient mises à papillonner parmi les amaryllis, hommes d'affaires escortés de porte-flingues dont la présence prouvait que même au milieu de ce jardin chacun continuait de se tenir sur ses gardes, de se méfier de chaque main serrée, de chaque prétendue marque d'amitié.

Combien seront morts demain, se rappelait avoir pensé Couto en promenant les yeux sur l'assemblée de convives. Combien auront été refroidis par ceux-là mêmes qui leur sourient aujourd'hui.

Parmi les visages il en avait reconnu de familiers, habitués des soirées du Mama Djombo dont la présence au milieu de ce jardin lui avait causé à peu près la même tristesse sans doute qu'à eux celle du groupe sur scène.

Pauvres couillons que nous sommes, avait pensé Couto, et il n'avait pas plus tôt pensé cela que ses yeux étaient tombés sur la silhouette de Nesto le fier-à-bras, Nesto le démissionnaire du comité de quartier de Calequir qui avait déclaré au moment de claquer la porte ne plus vouloir entretenir désormais ni de près ni de loin le moindre lien avec ceux qu'il appelait les sangsues, les bouffeurs sur le dos du peuple. Nesto qui avait l'air malin maintenant à hésiter entre le champagne et le vinho verde, à piquer du bout d'un cure-dents une queue de langouste si énorme qu'il lui fallait la mâcher une minute avant de l'avaler.

Couillon de Nesto, avait pensé Couto, couillons de nous tous, condamnés d'avance aux compromissions, trop petits poissons pour ne pas nous voir contraints d'éternellement nager entre deux eaux, d'éternellement nous border le cul.

Je chie sur leurs foutues caisses, avait grommelé Chico au moment de monter sur scène, faisant éclater de rire Couto et les autres.

Je chie sur vos caisses et sur vos beaux costumes, vous m'entendez. Je chie sur vos mères à tous.

Mais Chico ne l'avait dit que dans sa barbe.

Couillon de Chico aussi, avait pensé Couto, trop petit poisson comme tous les autres pour le dire fort, trop petit poisson pour dire autre chose sitôt le micro branché que : Bonsoir tout le monde. Et vive les mariés, car Dulce et Gomes venaient d'arriver à leur tour, précédés d'un homme qu'alors seulement Couto avait reconnu : le président.

Penser qu'il a d'abord joué au foot, s'était dit Couto en suivant du regard le chef d'État qui passait au milieu du jardin, formidablement petit et digne dans son costume bardé de décorations. Penser qu'il n'a d'abord été qu'un petit joueur de foot des rues comme des milliers d'autres, que c'est pour ça que les gens sont devenus fous de lui au début, pour ça qu'ils l'ont adulé quand il est devenu le numéro 10 du Sporting de Bissau et s'est mis à planter doublé sur doublé à la défense du Benfica, longtemps avant de s'en aller rejoindre Cabral dans le maquis et de se distinguer là-bas aussi par sa vaillance, son intelligence tactique, ses prises de casernes héroïques, ses recrutements d'hommes toujours plus nombreux, toujours plus vaillants, avec lesquels il avait libéré le Sud presque à lui tout seul.

Couto et les autres l'avaient aimé au début, avaient cru en lui. Cela avait duré un an, après quoi ils avaient bien été obligés de constater que lui aussi échouait, retombait dans les travers de ses prédécesseurs, cédait comme eux à la tentation de l'autoritarisme et des combines, se mettait à placer ses amis, à se remplir les poches, à commanditer des meurtres, à éliminer à coups de faux procès des opposants, bref achevait lentement mais sûrement de tuer les derniers restes d'espoir placés en lui.

Couto l'avait vu fendre la foule aux côtés des deux mariés et qu'il est vieux déjà, se rappelait-il avoir pensé, qu'il a l'air vieux et malade et faible, qu'il sera facile aux charognards qui l'entourent de le balayer dans quelques années, quelques mois seulement peut-être sans qu'il ait rien vu venir, rien pu faire en tout cas pour se défendre, pas même esquisser un geste, pas même sentir venir la balle ou le coup de lame fatal.

Le maître de cérémonie avait dit quelques

111

mots d'usage, réclamé une salve de hourras en l'honneur des mariés. Puis il avait invité Dulce et Gomes à ouvrir le bal. Couto avait écouté Tundu et Miguelinho attaquer les premières notes de *Guiné-Cabral*, s'était mis lui aussi à effleurer les cordes de sa guitare.

Évidemment tout s'était bien passé : c'est-à-dire que non seulement ils avaient pu jouer librement du début à la fin, mais l'assistance ne s'était pas un instant montrée heurtée par leurs chansons. Avalées comme des bonbons leurs diatribes contre les *djugudés* de tous bords. Arrosés de champagne leurs couplets censés ratatiner de honte l'assistance. Au lieu de cela ils avaient vu les invités envahir la piste de danse et démontrer du début à la fin ce qu'il aurait été plus sage d'admettre d'emblée, à savoir qu'il n'était de toute façon pas une chanson du groupe que ces gens ne connaissaient par cœur, pas un titre sur lequel ils n'aient dansé vingt fois déjà, en se foutant bien de ce que pouvaient dire ses paroles, et peut-être pire, en les chantant à tue-tête.

Viva Mama Djombo, avait crié un petit groupe au moment où Djon avait fait entendre les premières notes de *Pamparida*, et le morceau était parti, les bombes des Portugais avaient commencé à tomber sur le quartier général d'Amílcar Cabral à Conakry, et emportés par la musique Wyé et Armando et Chico s'étaient régalés de les faire entendre à la basse et aux percus. Tchombé, tchombé, les murs avaient volé, les

Portugais dansé. En miettes le grand Cabral, en miettes le comandante pulvérisé comme un rat dans son trou. Tchombé tchombé, les bombes étaient tombées et était-ce possible les habitants du quartier n'avaient pas eu l'air tristes, eux qui adulaient pourtant Cabral ne s'étaient pas mis à pleurer, était-ce possible certains avaient même souri, tchombé tchombé s'étaient-ils mis à chanter en riant comme un jour de fête, bombardez pilonnez idiots de Tugas faites voler en éclats le quartier entier si vous voulez, Cabral rigole, Cabral est loin, comment n'avez-vous pas compris qu'il se joue de vous, qu'il sera toujours à Dakar quand vous le croirez à Conakry, toujours à Alger quand vous le croirez à Dakar, à New York devant l'assemblée de l'ONU qui ovationnera son discours la semaine où votre police jurera l'avoir localisé dans les mangroves de Casamance.

La chanson s'était terminée et la mariée, avaient crié les invités. La mariée. La mariée. La mariée.

Dulce était montée sur scène et s'était mise à les présenter un par un. « L'état-major » d'abord, comme ils disaient entre eux, Atchutchi, Miguelinho, Chico, Serifo, Couto, les aînés, les doyens auxquels le groupe s'en remettait pour tout ce qui concernait les relations publiques, les tournées, le montant des cachets, les achats de matériel, le choix du répertoire, de la langue, presque toujours le créole mais parfois aussi le manjak, le mandingue, le balante, le portugais même la fois où ils avaient décidé de raconter au monde entier, dans une longue épopée de dix-sept minutes, l'exemplaire destinée d'Amílcar Cabral. Puis les « Viets », en hommage aux frères asiatiques qui tout là-bas au bout du monde avaient tenu tête aux Américains, Tundu et Djon, les deux guitares solos, éternels et géniaux râleurs qui passaient les concerts à se tirer la bourre avec Couto et Chico. Les chanteurs, dont Dulce elle-même avait fait partie : Ntchoba, Malan, Lamine. Enfin les « Blindés », fiers comme des arracheurs d'arbres à mains nues, aussi petits que le fracas de leurs percussions était énorme : Armando, Zé, Wyé.

Dulce s'était tournée vers l'orchestre et je ne sais pas ce que vous en pensez avait-elle dit en se marrant d'avance, j'ai l'impression que les Viets n'y sont pas trop. Elle avait regardé Tundu et Djon et je ne sais pas ce qui se passe avait-elle répété, les Blindés sont en grande forme mais on dirait qu'aujourd'hui nos pauvres Viets rament. Qu'est-ce qu'il y a les Viets, qu'est-ce qui ne va pas. Vous voulez que les Américains reprennent le Vietnam ou quoi. Mesdames et messieurs est-ce que je peux vous demander de les encourager : pour les Viets s'ils vous plaît !

Couto s'était tourné pour voir les visages furibards de Tundu et Djon et ils vont la bouffer avait-il pensé, ils vont l'avaler crue sauf que Dulce avait continué, vous savez que notre groupe n'a pas l'habitude de mâcher ses mots, vous savez que nous avons toujours dit ce que nous pensions, quitte à brusquer certaines oreilles. Alors tout de suite un morceau que vous connaissez bien et qui demande qu'on respecte notre peuple, qu'on respecte les habitants de ce pays et leur droit à marcher simplement sur les routes, en paix, comme ils l'ont toujours fait, sans risquer de se faire écraser par les grosses voitures qui roulent à toute allure. Mesdames et messieurs : *Dissan na mbera.*

Des cris de liesse avaient fusé du parterre.

Eh merde, avait grogné Chico. On avait dit pas celle-là. Une chanson écrite justement contre eux, contre les grosses voitures et l'arrogance de tous les charognards de leur race.

Tundu lui n'avait rien dit, s'était simplement contenté de prendre un air distrait en débranchant et rebranchant sans prévenir le jack de sa guitare, si brutalement que le bam dans les enceintes réglées à fond avait à moitié déchiré les tympans des invités. Puis il s'était mis à s'accorder interminablement, comme s'il n'y avait pas eu deux cents personnes suspendues à ses gestes, comme si le président lui-même n'avait pas été en train de se demander ce qu'il pouvait bien foutre.

Couto et les autres avaient attendu qu'il arrête de triturer les clefs de sa guitare, attendu qu'il fasse signe qu'il était prêt. Alors la musique avait commencé. Le solo de Djon. Le glissé de Tundu venant le relayer. La guitare de Serifo les doublant sur le fil et se jetant à leur place dans le tourbillon, en même temps que les congas d'Armando et l'éternelle voix de fillette de Dulce.

Carros di no pubis
Carros di botton sines
Dissan na mbera!

Voitures de notre peuple,
Voitures aux intérieurs cuir bien garnis,
Laissez-moi marcher tranquille!

Dulce avait fini de chanter, Gomes était venu la cueillir au pied des marches, l'avait félicitée, embrassée, relâchée pour la laisser recevoir les compliments des autres invités. Et c'était le moment qu'il avait choisi pour prendre la parole.

Le silence s'était fait comme il se faisait toujours quand Gomes parlait, personne n'osant moufter, les mouches même semblant interrompre leur vol de trouille qu'on ne les entende. Il avait dit sa fierté d'épouser une grande artiste, raconté leur rencontre, le concert au Salão de Luxo. Puis se tournant vers la scène il avait désigné l'orchestre, et maintenant je veux vous remercier vous. Vous les musiciens du célèbre Mama Djombo qui nous faites l'honneur de nous offrir ce concert. Vous sans qui je n'aurais jamais rencontré Dulce. Et parmi vous un homme discret, qui n'est peut-être pas celui qu'on voit le plus sur scène, parce qu'il n'est pas de son tempérament de se mettre en avant. Mais un homme que j'ai connu du temps où j'étais capitaine dans le maquis de Boé, et que je suis heureux de retrouver parmi les amis de la femme que j'épouse aujourd'hui, car il fut là-bas un de mes meilleurs soldats. J'ai nommé Couto. Je vous demande de l'applaudir.

Il y avait eu un instant de stupéfaction, puis un gros roulement de talons sur les planches, lancé par Armando et Chico. Couto avait ri de son rire gêné, s'était fait chambrer par Miguelinho et Malan qui l'avaient poussé sur le devant pour l'obliger à se montrer. Il avait salué le public, vu Dulce en bas qui le regardait.

Un de mes meilleurs soldats, s'était-il répété. Comme Gomes aurait dit une de mes clefs à molette préférées. Un de mes meilleurs tournevis.

Septimo avait ramassé un bâton, s'était mis à gratter machinalement le sol devant lui. Il avait trouvé un scarabée vert dans le sable, avait entrepris de le titiller du bout de la tige. En le poussant un peu trop il l'avait renversé. L'insecte était resté un instant sur le dos, à battre des pattes dans le vide. Puis il avait réussi à reprendre son assiette, s'était mis à remuer des pattes pour s'enfouir dans le sable. Couto et Septimo l'avaient regardé creuser sous son ventre, sa petite carapace vert métallique s'enfouir un peu plus à chaque pelletée dans le sol.

La grosse voix de José Pedro les avait fait sursauter.

Attendez j'ai pas bien entendu. La générale est morte, c'est ça que vous venez de dire?

Il avait lancé ça à la cantonade. Les autres avaient levé la tête. Couto n'avait pas répondu. Septimo non plus.

Elle est morte putain c'est pas vrai.

La générale que tu t'es faite, avait demandé Lourenço.

La générale y en a pas trente-six.

Tu te l'es pas faite, c'est pas vrai, avait dit Septimo.

Et comment que je me la suis faite.

José Pedro avait travaillé à la villa lui aussi, trois ou quatre week-ends en tout peut-être. Pas sur la recommandation de Couto, sûrement pas. Mais un de ses oncles y était jardinier, et un jour qu'ils avaient eu besoin de renforts pour une réception, on l'avait appelé. Préposé au service des boissons, dans un bel habit blanc. Il avait vu Dulce, la chérie de Septimo. N'avait rien trouvé de plus malin pour titiller le *nsaninhu* que d'inventer ce bobard.

Dans tes rêves tu te l'es faite, avait tranquillement dit Septimo.

Tu veux que je te le dise comment je me la suis faite.

Tu t'es fait les pieds de son lit si tu veux. Tu t'es fait sa culotte. Mais tu te l'es pas faite elle.

Ça te fout les boules c'est tout.

Septimo avait ricané doucement.

C'est toi qui as les boules. T'es tellement con que je sais même pas si elle a vu que t'existais.

José Pedro avait voulu le frapper. Septimo avait esquivé le coup de justesse.

Attends que je revienne ce soir avec ma kalache.

Parce que tu crois que là-bas ils te prendront. Tu crois qu'ils prennent le premier débile descendu de sa colline.

Cette fois José Pedro l'avait eu au visage. Septimo était tombé, le Ninja lui avait sauté dessus et lui avait plaqué l'avant-bras sur la gorge, avait appuyé dessus de tout son poids. Septimo avait gémi, le souffle coupé.

Couto s'était penché pour attraper José Pedro par la nuque.

Maintenant tu t'arrêtes, petit merdeux.

Lâche-moi, le vieux.

Couto avait serré plus fort.

C'est toi qui vas le lâcher tout de suite.

De son bras libre José Pedro avait voulu lui décocher un coup de coude au visage. Couto avait stoppé son bras et l'avait tourné en clef à molette.

Aïe putain, avait geint José Pedro.

Les autres avaient regardé le Ninja transpirer d'effort et de douleur, regardé les doigts de Couto refermés sur sa nuque et sur son poignet retourné.

Lâche-le, avait répété Couto.

Sale vieux de merde, avait presque pleuré José Pedro.

Il avait lâché Septimo, était tombé assis, s'était attrapé l'épaule en serrant les dents.

Les gars vous êtes tarés ou quoi, avait dit Lourenço en relevant Septimo et en lui essuyant le visage. Ça va pas la tête, vous êtes tarés.

Je vais le tuer, avait grogné José Pedro en montrant Septimo. Sur la tête de ma mère ce soir je le tue.

La ferme maintenant, avait dit Lourenço. Vas-y toi aussi Septimo comment tu lui parles, t'as vu comme t'es nain, tu veux qu'y t'éclate?

Ils les avaient fait s'asseoir le plus loin possible l'un de l'autre. S'étaient tus, tous. Couto aussi, faisant tout pour masquer son essoufflement, comme s'il ne venait pas du tout de faire un effort, comme si sa foutue douleur à la vessie n'était pas repartie de plus belle, comme chaque fois qu'il faisait un effort trop brusque.

À présent le scarabée aux pieds de Couto et Septimo avait cessé de creuser. On ne voyait plus qu'un minuscule éclat vert affleurant sous le sable.

Putain tu te l'es pas faite alors, avait dit Lourenço.

Je me la suis faite je te dis, avait dit José Pedro.

T'es vraiment un bâtard. Tu racontes n'importe quoi, c'est dingue.

Vous voulez que je vous bute tous ou quoi.

Septimo avait remué sur sa racine à côté de Couto.

Paraît que vous jouez chez Nunu tout à l'heure, avait-il dit doucement, l'air de ne plus penser à José Pedro ni aux autres déjà, de ne plus les entendre, de les avoir purement et simplement rayés de son monde.

On va voir, avait dit Couto.

Comment ça vous allez voir.

On va voir si on maintient ou pas.

Vous allez pas annuler quand même.

Couto avait regardé le gamin.

Pourquoi tu dis ça.

Ça lui aurait plu, à Dulce, que vous annuliez?

Dulce qui toute sa vie s'était fait une devise de cette expression apprise à Paris et qu'elle répétait même les fois où elle était au trente-sixième dessous: haut les cœurs, allez. Haut les cœurs nom de dieu, dit en français avec son accent qui donnait quelque chose comme *hou l'équerre*. Hou l'équerre Couto merde.

Couto s'était marré.

Dulce elle nous aurait tués.

Alors, avait dit Septimo.

Un type était sorti de la maison d'en face, short de foot et tee-shirt rouge Radio Jovem. Sadio, le voisin. Militaire à la retraite, vingt ans de service dans tout ce que le pays avait connu de coups tordus et de campagnes foireuses. Il avait fait bonjour de la main à Couto en l'apercevant, bonjour aussi à Septimo, qu'il ne ratait pas une occasion de traiter de vaurien, comme tous ceux de la bande.

Il s'était assis au soleil sur la plus haute marche du perron, l'air de bonne humeur, une bassine d'eau et une bouteille de liquide vaisselle près de lui. Il s'était retourné vers l'entrée de sa maison, avait sifflé. Un minuscule clébard était accouru, à peine plus long qu'un rat. Sadio l'avait pris dans ses bras, lui avait embrassé la truffe, l'avait posé entre ses cuisses. Il avait attrapé le liquide vaisselle, s'en était versé un peu dans la main et s'était mis à frotter le chien comme il aurait fait d'un caleçon, le malaxant, le pétrissant. Au bas des marches l'eau gorgée de mousse s'était écoulée lentement, fonçant la terre. Le chien s'était tendu sur ses pattes, le museau en avant pour encaisser du mieux qu'il pouvait ce passage au lavomatic. Il avait l'air d'adorer ça.

Miguelinho était assis sur sa terrasse, de dos, sa guitare près de lui, caleçon et vieux tee-shirt élimé.

Alors couillon, avait dit Couto.

Couto, avait dit doucement Miguelinho en relevant la tête, avec une joie profonde, rentrée.

Vingt fois j'ai essayé de t'appeler. C'est pas un portable que t'as mon pote, c'est un laissable.

Miguelinho avait ri.

Mon Couto c'est bon de te voir.

Ils s'étaient serrés dans les bras. Serrés fort, pour bien se marquer qu'ils pensaient à la même chose.

Elle on ne peut plus s'inquiéter, avait dit Miguelinho, ça ne sert plus à rien. Mais toi.

Moi ça va.

Esperança le sait?

Elle était avec moi quand Zé a téléphoné.

Alors.

Alors ça va.

Est-ce qu'elle tire toujours ses cauris.

Couto avait fait oui de la tête.

Putain tu peux être sûr qu'ils travaillent alors. En ce moment même ils travaillent. Et dur!

Couto avait rigolé.

On faisait encore la sieste que déjà ils travaillaient.

Julia aussi faisait ça. Les meilleures femmes font ça.

Couto avait revu Esperança contre lui dans le lit. Il avait senti à nouveau son odeur, le contact de sa peau.

Esperança qui savait le baptiser de noms glorieux, de noms de brave. Mon Couto grisonnant et fou. Mon vieillard noir et beau.

Elle devait être à l'hôtel à cette heure, au bord du fleuve.

Et au Chiringuito ils en sont où, avait demandé Miguelinho. T'as des nouvelles.

J'en viens. Keba a préparé à peu près assez de viande pour nourrir tout le quartier. Et Ivan doit être en train de finir d'installer les enceintes.

Ils sont pas au courant?

Nunu si.

Et qu'est-ce qu'il en dit Nunu.

Nunu il est comme nous, il attend.

Ça le fait pas chier qu'on annule.

Évidemment que ça le fait chier.

Couto avait laissé passer un temps.

De toute façon qui a dit qu'on annulait.

Miguelinho avait relevé la tête.

Pas moi en tout cas. Certainement pas moi.

Pas moi non plus.

Faut qu'on joue.

Faut pas seulement qu'on joue, avait dit Couto. Faut qu'on fasse le plus extraordinaire putain de concert que les gens aient vu de leur vie.

Oui.

Faut juste qu'on se prépare à un peu de concurrence : apparemment c'est ce soir que Gomes bouge.

Qu'est-ce que tu racontes, avait dit Miguelinho.

C'est les gamins qui le disent.

Si les gamins le disent, c'est que c'est vrai.

Oui.

Miguelinho s'était tu, le temps d'accuser le coup.

Ça change rien, avait-il dit. Faut encore plus qu'on joue. Autrement ce sera la soirée de Gomes, et de lui seul.

Couto avait essayé d'imaginer les colonnes de chars déployés à la nuit tombée, les salves de tirs qui fendraient le ciel sitôt donné le signal. La résistance qui très vite en face céderait, comme elle était probablement déjà résignée à le faire, rendrait les armes sitôt tiré le minimum syndical de coups de feu, encaissé le minimum syndical de roquettes dans la tronche. Et tout qui serait fini : les élections une nouvelle fois enterrées, tout espoir de changement à nouveau écarté pour longtemps.

Regarde ce que je bouquinais avant que t'arrives, avait dit Miguelinho en attrapant un magazine posé au pied de sa chaise.

Couto s'était penché pour voir le vieux

numéro d'*Afrique-Asie*, octobre 1973, l'année de l'indépendance. En couverture, sur fond de couleurs du parti, il y avait le visage d'Amílcar Cabral, assassiné le 20 janvier de la même année. Il portait son célèbre bonnet de laine, souriait derrière ses lunettes.

J'ai trouvé ça à Bandim. Cinq mille balles. Le rat de vendeur a vu que je le voulais, il s'est pas gêné pour me faire casquer.

Couto l'avait ouvert, avait commencé à le feuilleter. Était tombé sur un article dans lequel l'envoyé spécial Jack Bourderie, tenue militaire, longue barbe folle, silhouette malingre, racontait son séjour dans les zones libérées. Tout y défilait, accompagné de photos en noir et blanc : soldats embusqués aux avant-postes dans les zones encore disputées aux Portugais, mutilés pris en charge dans les tout nouveaux centres de santé, conseils de femmes, tribunaux du peuple, enfants au travail dans des écoles de brousse tout juste érigées, magasins populaires approvisionnés en tissus hongrois, en lampes électriques bulgares, en allumettes guinéennes, en savons yougoslaves, en piles tchécoslovaques, en casseroles soviétiques, en cigarettes cubaines.

Donne, avait dit Miguelinho.

Il avait ouvert le magazine à la page où commençait un entretien avec le jeune ministre de l'Économie d'alors, Vasco Cabral, barbe et lunettes romantiques.

Écoute ça mon pote, tu vas voir.

Il avait lu.

« Nous avons fait l'étude de nos ressources. Nous avons du zircon, des phosphates, de l'or, de l'ilménite, du calcaire pour les cimenteries, du fer, et de haute teneur. Le pétrole aussi a fait l'objet de résultats encourageants, off-shore notamment, vers les îles Bijagos. Dans le Sud-Est, des gisements de bauxite prolongent ceux de Guinée. Et malgré l'apparente absence de relief de notre pays, très plat, les dénivellations de l'Est sont suffisantes pour permettre le développement de l'énergie hydroélectrique. Le rio Corrubal et le rio Geba, deux de nos grands fleuves, sont exploitables. Le seul fleuve Corrubal permettrait de fournir de l'électricité à tout le pays, et même d'en exporter. Quant à la pêche, c'est certainement, vu la configuration de notre pays, une de nos principales richesses. Déjà des brigades fonctionnent, chargées de nourrir les populations locales et de faire sécher les surplus pour la consommation des combattants. »

C'est bon arrête, avait dit Couto en se marrant. C'est ta façon de nous remonter le moral ?

Attends c'est pas fini, avait dit Miguelinho. Le meilleur arrive. « Rien que du requin, qui abonde sur nos côtes, on peut tirer près de deux mille produits. Chair, foie, graisse, ailerons, peau, tout peut être utilisé. On en fait du plastique, des boutons, de la vitamine D2, des colles, des produits alimentaires, des farines pour le bétail et toutes sortes de substances dont vous ne pouvez pas avoir idée. Et la chasse ! Bien sûr le commerce des peaux de crocodiles existait du temps des Portugais, mais il était embryonnaire. On n'exportait que ceux qui vivaient à l'état naturel. L'abondance des rivières et des marigots permet d'envisager des élevages, comme cela se pratique à Madagascar ou au Japon. De même l'industrie pharmaceutique devrait facilement se développer, vu l'incroyable foisonnement de plantes et d'arbres, dont certains d'ailleurs sont déjà utilisés par les villageois. Ce qui nous amène à la végétation sylvestre, laquelle constitue, si je puis dire, notre élément naturel. La forêt, si elle comprend de nombreux arbres à bois précieux, est aussi riche en fruitiers, qui pullulent dans la région de Quitafine. Si on exploitait rationnellement les espèces fruitières, on pourrait obtenir quantité de produits pour l'exportation : des bananiers, des manguiers, des ananas, des mandariniers, des papayers, des anacardiers, des kolatiers, des palmiers. Avec la banane on peut faire du vin, comme à Cuba. De la noix de coco, on tire des fibres végétales. Et je passe sur le caoutchouc, le mil, le maïs du Brésil, le haricot, la patate douce, le sésame, le sorgho, avec lequel on peut fabriquer de la bière. »

Attends je le veux président ce type, avait dit Couto en rigolant.

Regarde leurs bobines à tous, avait dit Miguelinho.

Il avait montré à Couto la photo des membres du gouvernement d'alors, le tout premier qu'ait connu le pays.

Eh ben ils ont pris un coup de vieux, qu'est-ce que tu veux que je te dise, avait dit Couto.

Ils avaient surtout moins l'air d'être là pour bouffer.

Sabi boca, susa barriga, disait le créole. Bouche mielleuse, ventre qui bâfre.

C'est fou non.

C'était y a quarante ans Miguelinho.

C'est justement ça qui est fou. Penser que la moitié sont encore là, continuent de faire la pluie et le beau temps dans ce pays, malgré toutes leurs casseroles au cul.

Tu veux nous noyer définitivement dans la déprime, c'est ça.

Mes parents je vais vous raconter une histoire, disait une chanson d'Atchutchi. Une histoire sans art, *storia di arte barato*, une histoire bon marché, une histoire pauvre.

Pekadur kumé purku, purku kumé pekadur.
Pekadur kumé katchur, katchur kumé pekadur.

L'homme mange le cochon, le cochon mange l'homme. L'homme mange le chien, le chien mange l'homme. Mais dans cette ronde de mangeurs-mangés, *nes onda di kume-kume*, il en est un que personne ne mange et qui attend tranquillement sur sa branche de fromager pour manger les restes et avaler jusqu'aux dernières miettes de dignité de ceux qui restent: c'est le charognard.

Les charognards ne s'étaient pas privés de dépecer le pays, ça non. Couto avait fait le geste d'envoyer valdinguer le magazine mais en le refermant il était tombé sur un portrait officiel du président coréen Kim Il-sung, front dégagé, manteau boutonné jusqu'en haut à la Mao. Le journal lui tressait huit pages de lauriers. Titre de l'article : « L'impérialisme américain est l'ennemi commun numéro un des peuples. »

Franchement regarde-le, lui. Il a coulé de l'eau sous les ponts quand même. Je connais même pas la marque de clopes de la pub sur la dernière page. Qu'est-ce que c'est que ce truc : Cirta.

Regarde en bas, avait dit Miguelinho. Société Nationale des Tabacs et Allumettes, Alger. C'était le nom des clopes lancées par Boumediene. Plutôt pas mauvaises, d'ailleurs. « Goût français », y avait marqué dessus, on aurait dit une blague de la part d'un pays qui venait de perdre trois cent mille hommes pour sa liberté.

T'es qu'un foutu sentimental Miguelinho, tu sais ça. Allez va te mettre un pantalon, qu'on se grouille.

Il avait disparu, laissant Couto là, à regarder les murs autour de lui, à admirer posé sur un petit bureau un portrait de Julia en robe de soirée, un soir de fête au Sporting.

Miguelinho était réapparu, chemise blanche et jean impeccable. S'était arrêté devant Couto, jambes arquées, air taiseux, sa légère claudication lui faisant traîner le pied, une classe de mec qui aurait eu sa place dans n'importe quel western, rien que pour le bonheur de son apparition dans l'embrasure d'une entrée de saloon, chapeau nonchalamment incliné, regard en coin.

Tu sais que Sergio Leone t'aurait adoré.

Sergio Leone putain. Je crois que je les ai tous vus.

Il tenait un gros album sous le bras.

Qu'est-ce que c'est que ce truc, avait dit Couto.

Regarde.

Il avait ouvert l'album au hasard.

Des photos de nous.

Couto avait tout de suite reconnu le décor de l'União Desportiva de Bissau.

L'UDIB, avait dit Couto.

Ouais. L'UDIB pendant le black-out.

Pendant deux ans ils avaient refusé tout concert ailleurs que là, répétant tous les jours, se servant des concerts hebdomadaires pour mûrir leur son, créer de nouveaux morceaux, les roder.

On se prépare, disait Atchutchi aux programmateurs qui un peu partout commençaient à réclamer le groupe, appelaient de Dakar, de Conakry, de Lisbonne, insistaient, demandaient à recevoir au moins un enregistrement de travail. On se prépare et on sera bientôt prêts.

Pendant deux ans le groupe s'était refusé à tout enregistrement, tout passage en studio, toute captation même d'un seul de ses morceaux. Avait lentement mais sûrement laissé travailler le bouche-à-oreille, la curiosité du public, l'impatience des radios. Le « black-out », ç'avait été le nom donné à cette stratégie, bien qu'aucun d'entre eux ne soit très anglophone et que trente-cinq ans après encore le mot continue de sonner comiquement dans leurs bouches. Le plan avait marché, à tel point que l'État lui-même avait fini par offrir d'aider le groupe à le graver enfin, cet album que tout le monde réclamait.

La petite troupe s'était envolée pour Lisbonne le 20 janvier 1979, six ans jour pour jour après l'assassinat d'Amílcar Cabral par les Portugais, comme une revanche. Deux semaines durant, elle avait investi les studios Carvalho, rebaptisés pour l'occasion Cobiana Records, du nom du village irréductible dont Mama Djombo était le fétiche. Couto et les autres avaient bien rigolé, s'étaient goinfrés de bacalau, étaient allés à Belem visiter la Tour, au Benfica et au Sporting admirer les vestiaires et la pelouse des stades qui les avaient fait rêver toute leur enfance et dont ils n'avaient jusque-là connu que les répliques tropicales, passablement moins fortunées. Cinq trente-trois tours étaient nés d'un coup, et les sollicitations s'étaient encore multipliées. Le groupe était allé partout. En Europe. En Amérique latine. Dans les autres pays lusophones d'Afrique, le Mozambique, l'Angola. Accompagné parfois du président de la République en personne, pas mécontent de montrer qu'au pays, non contents de savoir foutre dehors une armée européenne, la musique on touchait un peu.

Sur la photo Dulce portait une robe toute simple, à fines bretelles. Elle roulait doucement les épaules et fermait les yeux, les bras le long du corps, le front transpirant, possédée comme après une bonne heure de concert déjà, tendant vers le micro des lèvres brillantes de sueur qu'on crevait d'envie d'embrasser. Ce devait être un des derniers concerts qu'ils aient faits là. On la sentait mûrie, plus à l'aise dans son corps, devenue vraiment femme, toujours sauvage mais d'une sauvagerie posée à présent, profonde, infiniment sensuelle.

T'es con, avait dit Couto, tu veux qu'on chiale.

Non, avait dit Miguelinho. Je me dis qu'on devrait en choisir deux ou trois à faire retirer pour les autres.

Couto avait tourné les pages. Il y avait des images d'un peu partout, prises dans des villes qu'il n'arrivait pas toujours à reconnaître, à Dakar, à Maputo, à Luanda, vestes à paillettes et pantalons en skaï, à La Havane au milieu d'un stade noir de monde, à Lisbonne en plein hiver, emmitouflés dans tout ce qu'on leur avait prêté pour l'occasion de vêtements trop grands et dépareillés, l'air d'une bande de sans-abri plus que d'un orchestre. Des photos d'un concert presque improvisé à Ziguinchor, un soir de 1977, sous le grand bungalow de l'hôtel Les Cases, après une nuit de fête à Dakar, alors que le groupe venait de s'avaler quinze heures de bus pour redescendre par la Gambie et que ni Couto ni aucun autre musicien de la bande ne se serait cru capable ce soir-là de tenir plus de dix minutes debout. Le car était arrivé deux heures avant le concert, accueilli par la foule, et ils avaient à peine eu le temps d'assister aux danses traditionnelles organisées en leur honneur que ç'avait été leur tour, projecteurs pleine face, les yeux aveuglés, la voix pâteuse, les membres lourds. Le concert avait commencé. Et tout de suite ils avaient compris qu'ils étaient juste fatigués ce qu'il fallait, que leurs bras et leurs jambes n'étaient pas à bout de forces comme ils l'avaient cru mais au contraire idéalement las, leur esprit idéalement engourdi, idéalement enclin à l'abandon, au laisser-aller. Ils avaient joué comme il n'arrive pas souvent de jouer, avec une liberté, une grâce qui s'atteignent de rares fois seulement dans une vie.

C'est une bible ton truc.

Trente ans de notre vie. C'est ça les sentimentaux.

Couto s'était arrêté sur une série où on les voyait à Paris, métro Guy Môquet, à une table du Port de Pidjiguiti, l'unique restaurant manjak de la ville, qui leur avait servi de QG pendant leur tournée là-bas, passablement torchés déjà, en fin de repas, au milieu de la salle toute fumante encore d'odeurs de kaldu et de soupe kandia.

T'as même des photos de ce soir-là.

Sur la première image on voyait Couto lever

son verre pour trinquer avec Dulce et les autres. Sur la deuxième il était debout et portait un toast. Sur la troisième il ne levait plus son verre, n'était plus debout, était au contraire lamentablement avachi, mais tenait toujours son verre à la main, serré entre Miguelinho et Serifo hilares.

Dommage que j'en aie pas du lendemain midi, s'était marré Miguelinho, c'est là que t'étais vraiment beau.

Qu'est-ce qu'on se gelait, avait dit Couto et il avait pu revoir la soirée passée en compagnie de frères émigrés venus les rejoindre, revoir la bière et le vinho verde éclusés sans discontinuer, les vitres embuées du restaurant lorsque au bout de plusieurs heures ils étaient ressortis dans le froid de novembre, chacun dansant et titubant gaiement sur le trottoir. Et puis une première vague qui était partie vers le métro, Dulce qui lui avait fait signe qu'elle tombait de fatigue et n'en pouvait plus de leurs âneries, se désintéressait de son projet de pisser avec Malan dans les bacs à fleurs du restau, projet pourtant soutenu par le patron qui s'était aussitôt proposé d'en faire autant, vous avez raison ça leur fera du bien, par ce froid ça ne pourra que les réchauffer, et Dulce qui les voyant tous les trois se déboutonner était partie sans se retourner.

Ensuite Couto se rappelait être allé sonner à la porte d'un immeuble où avait lieu une soirée, avoir essayé pendant un bon moment de desceller une saloperie de pilier métallique venu lui cogner contre les jambes. Et puis être revenu devant le restau et avoir trouvé le trottoir désert, le store baissé, les autres manifestement partis. S'être dit merde. Merde de merde. Être resté un moment à regarder les rues se balancer doucement au fond de ses prunelles sans comprendre. Avoir pensé tout haut le cul de leurs mères. Avoir marché, marché longtemps sans trouver le métro. Puis avoir eu de plus en plus froid et n'avoir plus pensé à rien, s'être simplement mis à faire toutes les portières des voitures garées le long du trottoir, à les faire de plus en plus vite, en attendant de plus en plus impatiemment le moment où l'une d'entre elles s'ouvrirait.

Enfin la pression de sa main avait provoqué un déclic, le caoutchouc chuinté en s'ouvrant. Couto avait regardé la voiture dans laquelle il s'apprêtait à dormir, l'avait bénie, une vieille Peugeot 106, pas le modèle qu'il aurait rêvé mais bon, on ne pouvait pas demander non plus que ce soient les propriétaires de Mercos qui oublient de fermer leur tire. Il avait plongé à l'intérieur et abstraction faite de l'odeur il avait eu la bonne surprise de sentir sous lui des couvertures bien chaudes, de poser la main sur ce qui semblait un paquet de cigarettes tout neuf, de découvrir même sous un siège une ou deux boîtes de bière qu'il n'avait pas ouvertes, pour ce soir il avait son compte, mais dont la présence lui avait fait revoir ses préjugés sur les propriétaires de vieilles Peugeot 106.

Le lendemain matin le patron du restaurant l'avait retrouvé en travers de la porte, roulé en boule sous des cartons de jus de fruits, crevant de froid.

Nom de dieu Couto qu'est-ce que tu fous là.

Il l'avait relevé, lui avait préparé une soupe bien chaude. C'était seulement le midi que Couto avait raconté à tout le monde la Peugeot, les couvertures, le sommeil profond là-dedans comme au creux d'un nid, et puis d'un coup au milieu de la nuit les injures contre son visage, les coups de poing qui s'étaient mis à lui grêler dessus, la morsure à son mollet comme d'un clébard enragé, qui t'es toi qu'est-ce que tu fous là tu vois pas que c'est mon coin, le béton du trottoir tâté de tout son long sur trois bons mètres, traîné par les chevilles comme un sac avant d'avoir pu ne serait-ce qu'apercevoir le visage du forcené.

Un peu plus loin Couto s'était arrêté sur une photo prise à Lisbonne pendant les enregistrements. On voyait Atchutchi et Dulce assis avec Djon sur le bord d'un lit, rigolant tous les trois, Djon encore en pyjama, Dulce en chemise de nuit. Ce matin-là, Achutchi avait entendu Djon et Armando improviser dans la chambre d'à côté. Il était venu les voir, leur avait demandé ce qu'ils jouaient, à quoi Djon et Armando avaient répondu en haussant les épaules, s'était assis près d'eux, les avait écoutés en tapant sur ses cuisses comme il faisait quand il se concentrait, s'était mis à griffonner des paroles, avait appelé Dulce pour qu'elle les chante. Et tout de suite la chanson avait été là, tout de suite ils l'avaient enregistrée, leur plus grand succès, *Dissan na mbera*, la chanson par laquelle il était dit qu'ils resteraient, s'ils ne devaient rester que par une seule.

Parfois il te faut deux ans pour boucler une chanson, avait dit Atchutchi aux journalistes. Et puis parfois le morceau te vient du premier coup, c'est comme s'il t'était donné, tu peux bien essayer de l'améliorer encore mais ça ne sert plus à rien, depuis le début il est là, il n'y manque rien, tu n'as qu'à le prendre et le jouer.

Sur la photo Dulce avait le visage heureux, mais fatigué. Elle avait traversé les deux semaines du séjour dans un état second, à la fois excitée, euphorique comme eux tous, et travaillée par ce que ses yeux découvraient.

Pouvant se rappeler la première chose qu'elle avait dite la fois où ils en avaient reparlé, le premier souvenir qui lui était revenu de ces semaines portugaises : non pas le froid de janvier, ni le quatre-pièces meublé où ils avaient passé le plus clair de leur séjour, ni les ruelles de l'Alfama arpentées le matin pendant que les autres restaient au chaud, ni l'étagement des maisons dégringolant vers le Tage, les luxueuses vitrines de l'Avenida da Liberdade, les foulards dans lesquels étaient partis tous ses cachets, ni rien qui ait trait aux enregistrements, encore moins à ce matin-là où sans le savoir Armando et Djon avaient trouvé les premières mesures de *Dissan na mbera*. Mais ces mots qui avaient frappé Couto : Et les deux vieilles. Les deux vieilles qui crevaient toutes seules à l'étage du dessus, tu te rappelles.

C'était brusquement revenu à Couto : deux voix de femmes seules qu'ils n'avaient pas croisées une fois dans l'escalier, pas même aperçues à leur fenêtre. Deux voix de vieilles probablement alitées qui plusieurs fois par jour appelaient au secours.

Tous les matins Couto et les autres entendaient les pas de l'infirmière qui montait l'escalier. Au-dessus la porte s'ouvrait, cela durait un quart d'heure, vingt minutes pendant lesquelles tout était calme en haut, un silence paisible, serein. Puis la porte s'ouvrait à nouveau, les pas redescendaient et alors les cris reprenaient, retardés d'abord par la voix de l'infirmière qui continuait de leur répondre du milieu de l'escalier, puis plus désespérés que jamais, mettant une bonne demi-heure à s'éteindre. Et Dulce qui pendant les deux semaines qu'ils avaient passées là s'était lentement recroquevillée, comme minée, meurtrie. Comme si jour après jour les cris s'enfonçaient en elle. Comme si c'était elle qu'on abandonnait.

La première fois que l'infirmière était venue elle était sortie sur le palier pour lui sauter dessus et demander en hurlant à la pauvre jeune femme si elle était satisfaite, si cela lui convenait de laisser comme ça deux vieilles dames crever entre quatre murs, si c'était conforme à sa conception de l'existence et des rapports humains qu'on laisse les gens gueuler de désespoir et de solitude, à quoi l'infirmière avait répondu calmement qu'elle faisait ce qu'elle pouvait, qu'il lui restait cinq visites avant le soir et qu'à moins que Dulce ne tienne absolument à continuer à l'injurier elle n'allait pas s'attarder plus longtemps, faute de quoi ceux qui restaient seraient plus abandonnés encore, n'auraient même pas le délassement de sa brève apparition quotidienne.

Comment surtout Dulce avait agressé le fils ou le petit-fils qui s'était enfin pointé après dix jours sans visite, lui demandant de but en blanc s'il n'avait pas honte, si ça ne le rendait pas malade de savoir que sa mère était là-haut à hurler tous les jours sans personne pour lui répondre. Si c'était ça que méritait la femme qui l'avait mis au monde, qui l'avait nourri, bercé, élevé. Si c'était comme ça qu'on traitait ses parents dans ce pays.

Miguelinho avait regardé Couto s'arrêter sur chaque photo.

À ce rythme on n'a pas fini.

C'est impossible de choisir, avait dit Couto.

Ils s'étaient décidés à en prendre deux. Deux photos de Dulce sur scène. Celle de l'UDIB. Et puis une photo de 1979 à Dakar, qui la montrait se penchant du haut de la scène pour toucher la main d'un spectateur en contrebas, yeux ravis, incrédule devant l'ambiance surchauffée, ignorant comme eux tous que le concert devrait s'interrompre quelques minutes plus tard seulement, dès le début du deuxième morceau, lequel aurait le malheur d'être *Pamparida* et de mettre littéralement le feu au quartier, provoquant la ruée de milliers de fans restés dehors contre les grilles du stade, la rupture des portes, l'invasion de la pelouse puis très vite de la scène elle-même, abandonnée en catastrophe.

Couto avait détaché les deux images de l'album, demandé à Miguelinho une enveloppe pour les protéger.

Une fille était passée. La moitié de leur âge, épaules nues, bras fins, coupe afro de lionne. Et de longues jambes au-dessus desquelles son petit cul serré dans un short violet dansait, dansait.

Wopopop, avait dit Couto.

Il avait senti un pincement dans sa chair, s'était mis à penser au temps enfui, à la vie qui foutait le camp, à sa vessie et son vieux dos qui lui faisaient mal.

Wopopop mate ça mon pote, en tapant sur l'épaule de Miguelinho.

Et puis Couto avait vu la fille ralentir le pas, s'arrêter presque, faire un sourire à Miguelinho, plus qu'un sourire, un grand salut de la main qui se foutait bien de savoir si Miguelinho était seul ou pas, si le quartier entier pouvait les voir tous les deux ou non. Elle passait devant son Miguelinho et la terre s'arrêtait de tourner.

Ça va, tranquille?

Miguelinho s'était marré comme un gamin.

C'est Astou.

Ça j'ai vu.

Ils l'avaient regardée s'éloigner. Elle avait dû

sentir leurs yeux accrochés à ses talons, car ses déhanchements s'étaient insensiblement modifiés. À présent chaque roulis de sa taille n'était plus simplement offert au ciel comme le souffle du vent et le bercement des palmes. Il leur était offert à eux. Regarde-moi bien Miguelinho, disait chacun des pas d'Astou. Regarde-les bien ces longues jambes chéries, ces épaules aimées, ce cul adoré. Regarde tout ça et fais-le bien rentrer dans ta petite tête, que ça n'en ressorte jamais.

Pourquoi ils ne comptaient pas ça dans leurs maudits indices de prospérité, les économistes du monde entier. Pourquoi ça n'entrait pas dans leurs classements censés mesurer le bonheur des uns et des autres, mieux que ça, le *développement humain*, puisque leur arrogance ne reculait pas devant ces mots. L'élégance des hommes et des femmes. La splendeur des coiffures. La richesse des parfums. La sûreté du goût de chaque habit, chaque coupe, chaque broderie. Le désir qui se rallumait à la moindre promenade en ville, vous rappelant toujours à la vie.

C'était ce qui avait le plus frappé Couto la première fois qu'il avait été en Europe. Des compatriotes lui avaient toujours dit là-bas tu verras c'est différent, les gens ne sont pas chaleureux comme chez nous. Couto n'avait pas trouvé les Portugais moins chaleureux, non. Les Portugais les avaient accueillis comme des rois, lui et les autres, et les premières minutes il était resté baba devant la beauté des façades d'immeubles, des vitrines de magasins, des balcons en pierre, des terrasses de cafés. Une chose l'avait déçu : la tenue des gens. Leurs habits mal taillés, faits au kilomètre pour d'autres corps que les leurs, dans des matières ternes. Leur pas voûté dans de grands manteaux qui noyaient leurs silhouettes. C'était ça les Européens, c'étaient ces gens fatigués, finis ?

Ici même le dernier traîne-savate du marché avait la silhouette altière, l'allure noble. Pourquoi on ne classait pas les pays en fonction de ça aussi ? L'habileté des gens à se vêtir. À préparer leur corps pour les autres. À l'offrir aux regards sans gêne ni gestes superflus, toujours soigné, toujours parfumé, lavé à grande eau après chaque suée, chaque effort, frotté de cet éternel savon brun dont la pâte mal dégrossie griffait la peau, la réveillait, l'imprégnait de cette odeur de propre qui ensuite ne la lâchait plus, même enduite des onguents les plus entêtants, même rincée mille fois comme les feuilles des arbres brillantes après la pluie.

Et comment c'était meilleur de faire l'amour ici. Comment il faisait toujours chaud, humide, tout le temps la température de la *moka*, la baise. Est-ce que ce n'était pas de l'indice de bonheur à prendre en compte, ça. Le désir plus présent, plus fort, à toute heure du jour. Les rues pleines de frôlements la nuit quand on passait le long des porches et des bas-côtés plongés dans le noir. La nuit tout entière gonflée de caresses. Couto avait fait l'amour à Lisbonne

143

une fois, pas avec Dulce, à quatre par pièce ils n'avaient pas pu, mais des années après, avec une animatrice radio qui adorait les chansons du groupe et les passait dès qu'elle pouvait. Elle l'avait ramené chez elle après un concert et bien sûr ç'avait été bon, bien sûr ça lui avait plu, beaucoup plu même. Mais tout le temps qu'ils le faisaient Couto se disait : pourquoi il ne fait pas chaud comme au pays. Pourquoi il faut qu'ici ce soit l'hiver, qu'on ait besoin de se rhabiller, de se fourrer sous cet édredon ridicule. Pourquoi il faut que le lit soit si haut, qu'il y ait de la moquette au sol, de l'eau chaude sous la douche. Pourquoi il faut que Lisbonne soit Lisbonne et se trouve quatre mille kilomètres au nord de Bissau.

Le téléphone de Miguelinho avait vibré, annonçant la réception d'un sms dont il n'était pas difficile de deviner l'émettrice, tout juste disparue au coin de la rue. Miguelinho l'avait lu avec un sourire de gosse et s'était tout de suite mis à pianoter pour y répondre. Le téléphone avait aussitôt vibré une deuxième fois en retour, le forçant à le regarder à nouveau.

Couto je suis dans la merde. Cette nana me rend fou.

Il avait encore pianoté un message, puis il avait fourré le téléphone dans la poche de Couto.

Planque-moi ça je t'en supplie sinon je vais y passer l'après-midi. Faut qu'on y aille non.

Couto avait regardé le téléphone.

Y te reste pas du crédit, par hasard.

Deux mille cinq cents.

Deux mille cinq cents, avait répété Couto. La dernière fois que j'ai eu deux mille cinq cents je sais même pas si je m'en souviens.

C'est l'amour, avait ri Miguelinho. Aime une fille, et connais ta ruine !

Je me dis qu'on pourrait appeler Malan.

Miguelinho avait acquiescé en pensant à leur copain perdu tout là-bas dans le froid, quelque part au beau milieu d'une banlieue parisienne.

Vas-y toi, tu veux pas. Appelle-le toi.

Couto avait pris le téléphone et cherché dans le répertoire le numéro. La ligne avait sonné.

Pauvre Malan qu'ils allaient plomber, il le savait.

Après le mariage deux ou trois semaines étaient passées pendant lesquelles Dulce avait continué de venir chanter. Et puis il y avait eu ce rendez-vous imprévu, un après-midi de répétition.

Couto est-ce qu'on peut se voir. Au Sporting. Dans une heure.

Il l'avait trouvée assise dans un coin, seule parmi les murs lambrissés et les photos d'équipes victorieuses et les vitrines remplies de coupes à grandes oreilles, pâle, les traits tirés.

Je sors de la clinique Couto.

Il s'était assis en face d'elle, avait attendu de comprendre.

Dismancha, avorter.

Le même mot que pour effacer une tache, défaire un nœud, crever un abcès.

Couto on vient de me défaire un nœud que j'avais dans le ventre. On vient d'effacer une tache qui me salissait.

J'ai perdu beaucoup de sang, avait dit Dulce. Je suis fatiguée, mais soulagée aussi.

Couto avait laissé ses yeux se promener sur les boiseries, les maillots de foot, les petits fanions triangulaires aux couleurs du club.

Libertada. Délivrée.

Couto tu entends ce que je dis.

Bien sûr que j'entends.

Dulce, avait-il essayé de dire doucement.

Quoi Dulce.

Pourquoi tu ne m'as rien dit.

Qu'est-ce que ça aurait changé.

Pouvant se rappeler ce qu'il avait failli lui dire à cet instant : que ça aurait tout changé. Qu'il aurait parlé à Gomes. Qu'il lui aurait parlé à elle, l'aurait convaincue de revenir. Et puis cette pensée inverse aussitôt : que c'était faux. Que non seulement ni lui ni Dulce n'auraient dit un mot pour s'opposer à Gomes, mais qu'il était bien content de n'avoir rien su, de n'avoir rien eu à décider, de n'avoir pas même eu à réfléchir. Qu'il en éprouvait un soulagement lâche, dont le moins qu'il pouvait faire était de ne pas le dissimuler sous de faux regrets.

Je t'aurais accompagnée.

Elle s'était marrée.

Tu m'aurais bien fait chier, surtout.

J'aurais fait chier Gomes.

Tu m'aurais fait chier, c'est bien ce que je dis.

Couto avait hésité.

Il est venu Gomes.

Il est venu, avait répondu Dulce en levant le menton.

Et il a dit quoi.

Il a dit qu'il m'aimait. Que ça ne changeait rien. Qu'il allait m'accompagner à la clinique et que demain tout ça serait loin.

Couto avait senti les mots de Dulce le brûler.

C'est bien.

Et cette réflexion qu'il s'était faite: pour la première fois je le comprends, qu'elle est à lui maintenant. Pour la première fois très concrètement je l'éprouve.

Il s'était tu, avait regardé alentour les boiseries et la moquette qui assourdissaient le son de leurs voix, donnaient à leur entretien quelque chose d'inhabituellement feutré, de détaché presque.

Quelle merde.

Ça pour dire quelle merde tu as toujours été fort. Redis-le vas-y.

Quelle merde, avait répété Couto.

Ils avaient ri.

Elle lui avait pris la main.

Il faut que je parte. J'ai pas dit à Gomes que je venais.

Oui.

Couto n'avait pas pris le temps de se demander s'il trouvait ce rendez-vous utile ou non, s'il était content que Dulce lui ait raconté tout ça, s'il lui était reconnaissant ou pas de l'avoir convoqué pour lui dire combien son général avait su se montrer élégant.

Elle avait cessé de chanter avec eux. Cessé même d'assister aux concerts du groupe. Du jour au lendemain Couto et les autres avaient dû s'habituer à ça : une sorte de trou à sa place, un vide désormais qui au moment de se mettre à jouer leur donnait à tous l'impression de flotter, impuissants à retrouver leur assiette. Ils avaient dû s'habituer à ne plus la voir à côté d'eux sur scène, à jouer sans elle *Assalariado*, *Fidjus di mi*, *Alma Cabral*, morceaux qui privés de sa grâce d'enfant perdaient ce qu'ils avaient d'aérien, de magique. N'étaient plus que de beaux morceaux bien foutus, bien chantés, propres – mais plus des merveilles.

Les concerts avaient continué, sans rien de changé en apparence, le succès du groupe plus grand que jamais, ses chansons diffusées deux fois par jour sur Nova et sur toutes les radios branchées d'Europe, ses concerts réclamés partout. Et pourtant les déboires avaient commencé. Une avarie de matériel sans gravité d'abord, pendant une tournée en France : la basse de Chico cassée dans le train pour Toulon, la caisse claire de Zé crevée au retour à Paris, un des amplis définitivement défunt après dix ans de loyaux services. Suffisamment de signes conjoints pour qu'Atchutchi et le reste de l'état-major jugent le moment venu d'investir dans du nouveau matériel. Ils avaient passé une importante commande, étaient rentrés au pays prendre un peu de repos. Et puis la livraison avait traîné. Les mois avaient défilé, presque un an. Atchutchi s'était résigné à louer provisoirement des instruments, une table, une sono. Le groupe avait repris quelques concerts ici et là. Les guitares étaient en bois, la batterie sonnait raide. Zé râlait, Tundu devait se démener comme un diable pour tirer trois notes d'une planche à pain. Pour un orchestre qui avait tourné dans le monde entier, recommencer avec du matos de location, c'était dur.

Djon et Armando avaient fini par céder aux avances du N'Kassa Kobra, autre groupe phare de la ville, autre nom de fétiche. Tundu était parti à Lisbonne poursuivre ses études d'ingénieur. Malan et Ntchoba s'en étaient allés tenter leur chance en France, Lamine à Abidjan, Zé aux States où il avait entamé une carrière solo. Non Zé tu ne resteras pas comme ça là-bas tout seul, avait écrit Atchutchi dans une chanson, tu ne resteras pas là-bas comme une branche de fromager au vent, *suma nan di polon na vento*. Mais l'air californien n'avait pas eu l'air de déplaire à Zé, son premier album s'était bien vendu, Zé l'avait appelé *African Citizen* et sur la photo en couverture du disque force avait été de constater qu'il n'avait pas du tout l'air d'une branche de fromager, il avait l'air très content.

Zé avait fini par revenir, au bout de vingt ans. Djon non. Armando, Tundu, Ntchoba, Malan non plus. Encore aujourd'hui, les deux tiers des anciens vivaient loin, éparpillés, certains pères d'une famille qui donnait un peu de sens à leur exil, les autres seuls. Frères dispersés. Galériens des grandes villes, perpétuellement rattrapés pour la plupart par la question du retour. Forçats d'une Europe qui voulait bien d'eux, mais comme soutiers, le contraire des rois qu'ils avaient rêvé d'être.

Non mes frangins vous ne resterez pas là-bas tout seuls. Non vous ne resterez pas abandonnés là-bas comme branches de fromager au vent.

Une voix avait répondu au bout du fil, claire, enjouée.

Miguelinho c'est toi?

Couto avait ri d'entendre Malan par-delà les milliers de kilomètres, de pouvoir l'imaginer assis quelque part dans sa ville là-bas, au milieu des immeubles parisiens et du goudron et des cafés à grandes vitrines et petites tables rondes cerclées de fer. Il avait posé le téléphone et l'avait mis sur haut-parleur, que Miguelinho puisse écouter aussi. Le son était passablement dégueulasse, mais on entendait.

C'est pas Miguelinho, c'est Couto. On est tous les deux sur la terrasse, on pensait à toi. Qu'est-ce que tu fous t'es où gros naze.

Au foyer, avait dit Malan. Avec des copains. On boit du thé.

Il fait froid je parie. Vas-y t'as combien de kilos de manteaux sur les épaules là, raconte.

Malan avait ri.

Ah les gars je me calerais bien dans une chaise avec vous. C'est pas trop la foire avec les élections, ça va. Je lis les infos sur internet, ça a pas l'air d'aller fort.

Ça va t'inquiète.

Vous gérez.

On gère.

Nom de dieu c'est bon de vous entendre.

Couto avait hésité.

On a une mauvaise nouvelle à t'annoncer Malan.

La voix au bout du fil s'était tue. Ils l'auraient presque entendue se recroqueviller, se crisper par réflexe dans l'attente du coup. Pauvre Malan, pauvres émigrés tous, qu'on n'appelait jamais que pour leur annoncer des décès, des coups d'État, des accidents.

Attends je sors. J'entends rien ici, tout le monde parle.

Vingt bonnes secondes étaient passées. Ils avaient entendu Malan parler en bambara à d'autres types, ouvrir une porte, la claquer. Puis de nouveau sa voix, plus nette à présent, seulement troublée par le vent et le bruit des voitures.

Ça y est je suis là, vas-y.

Dulce est morte Malan.

Qu'est-ce que tu dis.

Dulce est morte.

La voix avait soufflé. Soufflé très fort pour essayer de rester calme.

Malan ça va.

Ça va.

Il s'était mis à chialer. À pleurer de tout son corps. Putain notre copain pleure à cinq mille bornes de nous, avait pensé Couto, tout seul dans une rue froide.

Malan.

Les gars vous voulez pas m'appeler une fois

153

juste pour le plaisir. M'appeler pour m'annoncer qu'un de vous se marie, je sais pas. Pour me dire que vous êtes chez Diabaté en train de bouffer des bonnes brochettes de chez nous et qu'il fait beau.

Couto avait essayé de l'imaginer, tout seul là-bas. Loin de tous depuis combien d'années à présent. Profitant d'une tournée à Bruxelles, ils avaient été le voir deux ans plus tôt avec Atchutchi. Ils avaient d'abord voulu qu'il les rejoigne en Belgique et joue avec eux le soir du concert, comme autrefois, avec Armando, Tundu et Djon, les autres vétérans émigrés. Le groupe au complet, jeunes et vieux réunis, d'Ivan à Armando. Ils avaient presque réussi. Armando habitait sur place et s'était facilement libéré, Tundu était venu de Lisbonne, Djon de Paris. Seul Malan avait manqué. Affaire de calendrier, s'était-il excusé. Il avait justement ce week-end-là un coup de feu au boulot. Affaire surtout de sous, avaient-ils compris, et de papiers, qu'il n'avait toujours pas, et de risque que la police l'attrape à la gare ou dans le métro. Alors c'étaient eux qui avaient fait l'aller-retour en train pour passer une soirée avec lui. Il leur avait donné rendez-vous dans un bar près du métro à Montreuil. On y sera mieux qu'au foyer, avait-il dit. Plus tranquilles. Moins face à la nudité de sa nouvelle vie, sans doute aussi.

Ils s'étaient serrés fort en se retrouvant. Malan avait bonne mine. Il était beau, rasé de près. Une casquette en tweed. Un blouson de cuir dans lequel il faisait presque Parisien chic. Toujours le Malan qu'ils avaient connu, noble, fier, sentant bon. Ne se plaignant jamais de rien. Leur interdisant de mettre la main à la poche, ici vous êtes chez moi ho. Les arrosant toute la soirée de tournées.

Il leur avait raconté les recherches de travail à son arrivée, la vie avec trois ou quatre types comme lui échoués au fond de banlieues mornes, comme lui en quête de journées de travail au noir ici et là, dockers un dimanche, déménageurs le suivant, gardiens de baraque foraine toute une semaine d'hiver, par des températures à vous congeler vivant. Les premières années à se terrer comme un rat dans des petites villes de province où les flics étaient moins embêtants, à crever de trouille chaque fois qu'il était obligé d'aller en centre-ville, chaque fois qu'une livraison le conduisait à Paris. L'opération du cœur qui avait failli l'enterrer l'année précédente, un triple pontage pour lequel il n'avait rien eu à payer, la couverture maladie universelle qu'ils appelaient ça ici, il n'en revenait toujours pas.

Couto et Miguelinho lui avaient demandé s'il n'en chiait pas trop. Il les avait regardés dans les yeux en riant de son rire de lion, avait redemandé trois calvas, une habitude attrapée à Flers, où il avait passé sept ans à transbahuter des carcasses de bœufs de camion frigorifique en chambre froide.

Et comment que j'en chie. Comment je pourrais faire autrement qu'en chier.

Il leur avait raconté l'accueil que lui avaient réservé au début les chanteurs déjà installés. Il avait fait un tabac la première fois qu'un frère sénégalais l'avait appelé au micro dans un restaurant de Saint-Denis, faisant se lever la salle entière, entraînant tout le monde dans un gumbé comme le patron et les clients n'en avaient plus vu depuis des années. Il avait reçu une des plus belles ovations de sa vie, comme au temps de l'UDIB, vous auriez vu ça les gars, tout le monde debout, criant mon prénom, les gens demandant c'est qui ce type d'où il vient pourquoi on l'entend jamais, le patron prenant mon numéro, les guitaristes et le frère sénégalais m'enlaçant.

Il avait payé son succès cash, les autres musiciens ligués dès le lendemain contre lui, ne lui adressant plus un mot, ne faisant plus le moindre effort pour afficher au moins la générosité de façade des premiers jours. Il avait continué à venir à quelques concerts les semaines suivantes. Le Sénégalais l'avait salué d'un air gêné. Le patron du restaurant s'était esquivé. Plus personne n'avait prononcé son nom, plus aucun chanteur n'avait eu pour sa présence ne serait-ce qu'une de ces déclarations convenues, un de ces hommages de pure forme qui ne mangent pas de pain et dont raffolent d'ordinaire les musiciens, et s'il vous plaît maintenant je vous demande d'applaudir un grand monsieur de la musique qui nous fait l'honneur d'être parmi nous ce soir, je vous demande d'applaudir

Malan lead vocal du mythique Super Mama Djombo de Guinée-Bissau, une de ces phrases toutes faites qui ne coûtent rien et que même vos pires ennemis ont en général pour vous au moment de remercier le public, ne serait-ce que pour déjouer les soupçons de mesquinerie, se parer d'une apparence de grandeur, s'épargner parfois, plus cyniquement, la contrariété d'avoir à vous inviter pour de bon sur scène et vous laisser venir leur rogner un peu de leur lumière.

Ils connaissaient tous ces rivalités, ces querelles qui tuaient lentement mais sûrement les groupes, ces tensions larvées que chacun s'arrangeait pour dissimuler aussi longtemps que possible sur scène mais qui creusaient leurs galeries en coulisses, faisaient bizarrement basculer un concert jusque-là rempli de bonne humeur dans quelque chose soudain de féroce, comme un duel entre les deux chanteurs vedettes qui haussaient inexplicablement la voix pour se défier, se mettre en défaut l'un l'autre, faire assaut de virtuosité, de puissance, d'éclats de rire rauques, tout cela en continuant de se faire des grands sourires et d'exécuter des pas de danse censés illustrer leur parfaite entente – jusqu'au matin où on apprenait brusquement que c'était fini, qu'ils s'étaient une bonne fois pour toutes mis sur la gueule la veille dans un bar et venaient d'annoncer leur divorce. Ici déjà, ça gangrenait les meilleurs groupes. Alors à cinq mille kilomètres du pays, entre crève-la-faim obligés de s'entre-dévorer pour survivre.

La seule consolation de Malan avait été de recevoir la visite de plusieurs guitaristes et percussionnistes, d'un bassiste unanimement considéré comme le meilleur de la place, lesquels étaient venus lui dire qu'ils regrettaient que tout se passe ainsi, que la vie était bête, qu'ils auraient adoré jouer avec lui, qu'ils étaient certains qu'ensemble ils auraient pu faire de grandes choses. C'était presque une proposition, mais le début du commencement d'un groupe c'était de posséder ses propres instruments, sa propre sono, sa propre console. C'était de disposer d'un local pour répéter. C'était d'avoir de quoi financer la promo des premiers concerts, de quoi payer au moins les coups à boire pendant les répétitions, le transport des uns et des autres, le remplacement des cordes cassées, d'un ampli. Ça supposait un petit pécule de côté, au moins de quoi tenir jusqu'à la signature des premiers contrats – pécule dont Malan n'avait évidemment pas le premier sou.

Un programmateur qui l'aimait bien lui avait proposé de se produire à la prochaine soirée cap-verdienne qu'il organisait, dans un théâtre loué exprès. Le Cap-Vert, la Guinée-Bissau, pendant quelques années ç'avait été le même pays, non ? Le type lui avait donné carte blanche pour deux titres, en play-back. Putain je ne suis quand même pas devenu ça, avait répondu Malan. Je ne suis quand même pas encore ce pauvre type qui mendie de chanter en play-back dans un théâtre miteux, sans même un guitariste pour l'accompagner.

Couto et Miguelinho l'avaient entendu inspirer une longue rasade d'air pour se calmer.

Malan leur aîné. Leur *diato*, comme ils l'appelaient en mandingue : notre lion.

Ça va grand, avait demandé Couto.

Ça va les gars vous inquiétez pas.

Les quatre heures à causer avec lui dans le petit bar de Montreuil avaient été belles, mais rudes. Auprès d'eux c'était comme si son blindage se fissurait, comme si s'effondraient d'un coup toutes les défenses dont il avait lentement appris à s'armer pour étouffer en lui cet appel qui devait sans cesse revenir le tarauder : et pourquoi pas rentrer. Pourquoi pas retourner vivre là-bas où j'ai tout, où je peux recommencer à chanter demain si je veux, redevenir en une semaine le Malan qui enflammait les stades.

Il leur avait raconté le coup de fil reçu le soir de la mort du dernier président, proche d'un de ses oncles. Comment il avait appris la nouvelle le matin, comme tout le monde, aux infos. Et puis comment quelques heures après il avait reçu un appel d'un des secrétaires d'État, chargé par la veuve du président de le prévenir personnellement. Le type était jeune et se demandait qui était ce Malan installé en France à qui on faisait l'honneur d'un coup de fil exprès. Il s'était mis à lui poser des questions, à s'étonner des réponses de Malan, ah bon il avait été chanteur du Mama Djombo, ah bon c'était lui la voix qu'on entendait dans *Sol maior para comandante*, qui avec ses dix-sept minutes retraçant la vie du grand Cabral était presque devenu un deuxième hymne national.

Le type avait hésité d'abord, s'était méfié, avait fait jurer plusieurs fois à Malan qu'il n'était pas en train de se foutre de sa gueule, ce n'est pas une blague vous n'êtes pas en train de m'enfariner c'est sûr avait-il demandé et alors il s'était emballé, c'est dingue avait-il soufflé, penser que le type qui chante ça existe pour de bon, est même encore vivant, penser que c'est vous, c'est dingue avait-il répété. Est-ce que Malan se rendait compte que cette chanson était un monument maintenant, avait demandé le type, qu'il n'y avait pas une fête nationale pas une réception officielle dans le pays sans qu'on l'entende, pas une investiture ni un deuil national sans que toutes les radios et les haut-parleurs de la ville la diffusent en continu. Est-ce que tu sais seulement que la ville entière t'écoute depuis ce matin, avait insisté le type, que tu es partout, que même le dernier des gamins ici connaît ta voix par cœur, a grandi avec elle, pourrait chanter par cœur les dix-sept minutes du morceau avec toi. À mesure que l'euphorie le gagnait il s'emportait, c'est dingue répétait-il sans plus se rendre compte de ce qu'il disait, jusqu'au moment où il avait laissé échapper cette phrase que Malan leur avait rapportée au mot près, je l'entends encore, avait dit Malan, aussi nettement que si c'était hier, je n'ai jamais cessé de l'entendre depuis ce jour : et moi qui étais sûr que celui qui chantait ça était mort depuis longtemps. Mort et enterré dix fois.

Malan n'avait rien répondu. Il y avait eu un silence. La voix au bout du fil avait toussé d'un air gêné avant de continuer, était revenue à un vouvoiement plus prudent.

Et maintenant. Qu'est-ce que vous faites maintenant. À quoi Malan avait répondu je continue, vous continuez c'est-à-dire avait demandé l'autre, je continue c'est-à-dire que je chante toujours avait répondu Malan, ici c'est dur mais je continue, je compte toujours enregistrer bientôt un album. L'attaché présidentiel avait demandé si Malan jouait souvent, si les gens le connaissaient en France. Malan avait répété c'est dur ici tu sais, *no ta dubria*, on se débrouille, à quoi l'autre avait répondu en s'insurgeant, faisant presque de son succès une affaire personnelle à présent, comment ça *no ta dubria*, comment ça un trésor national comme vous se débrouille, comment a-t-on pu laisser faire ça.

Après deux ans à goûter au pouvoir il était évident que l'autre n'avait plus tellement l'habitude de voir quoi que ce soit lui résister, alors avec cette même absence de vergogne qui devait lui faire regarder comme normal à présent de s'être taillé comme tous les autres ministres de confortables avoirs sur les deniers publics, normal de posséder à Lisbonne un duplex acheté avec l'argent du Trésor, normal que l'État mette la main à la poche chaque fois qu'il jugeait bon de soutenir le projet d'un parent ou d'un cousin, il avait lâché cette proposition qu'il avait sans doute voulu généreuse, avait raconté Malan, donnez-moi votre accord et je vous fais tout de suite virer dix millions, quinze mille euros est-ce que ça vous dirait avait-il lâché d'un ton fier de son idée, non ne dites rien, réfléchissez d'abord, demandez-vous si le pays d'une certaine façon ne vous les doit pas, si ce ne serait pas la moindre des choses après tout ce que vous avez fait pour nous, allons dites-moi simplement oui donnez-moi votre accord un numéro de compte et je vous fais virer l'argent demain, quinze mille euros qu'est-ce que c'est, à peine un coup de pouce pour l'album, comment est-il possible que personne n'ait pensé à faire ce geste, je n'en reviens pas.

Bien sûr Malan avait dit non. Et bien sûr l'attaché présidentiel avait raccroché vexé, passablement furieux même, leur avait raconté Malan, je lui ai dit non et ce con s'est presque foutu en rogne, avait-il ri en levant son verre de calva pour trinquer à ce refus aux allures de baroud, de ruade, ce refus qu'il avait peut-être ressassé depuis, mais dont le plus probable est qu'il n'avait cessé au contraire de se réjouir.

À l'époque je croyais encore à la possibilité d'enregistrer un album entier avant de rentrer au pays, avait continué Malan en souriant de lui-même, parlant sans plus s'arrêter à présent, monologuant presque. J'étais encore cette espèce de rêveur que j'aurais bien voulu rester mais que je ne suis plus, il faut se rendre à l'évidence, puisque aujourd'hui ce n'est plus un album entier que je veux faire mais simplement deux titres, deux morceaux que j'enverrai aux radios dès qu'ils seront prêts et que les gens là-bas entendront avant mon retour, que ma musique me précède, que tout le monde sache que je continue, que Malan n'est pas mort.

Ces mots qu'il avait lâchés sans lever les yeux : *que Malan n'est pas mort*. Deux morceaux qui péteront le feu et alors je rentrerai, avait-il dit, promesse dont Couto n'avait pu s'empêcher de juger aussitôt la réalisation hautement improbable, pensant avec peine Malan ne reviendra donc jamais, ne reverra pas son pays, Malan le grand Malan qui chanta *Djato* et *Sol maior para comandante* et tant de nos plus fameuses chansons va donc mourir seul dans cette ville qui nous a déjà pris Ntchoba, mort de solitude et d'alcool, cette ville pleine de rêves fracassés, d'espérances fourvoyées, cette ville à laquelle seul Djon aura survécu, car Djon est guitariste et que les guitaristes s'ils sont talentueux comme l'est Djon ne crèvent tout de même pas aussi facilement que les chanteurs même les meilleurs, là-dessus les dieux de la musique sont absolument injustes, se rappelait-il avoir alors pensé.

Djon guitariste de génie s'en était sorti à Paris, s'était dit Couto, tout comme Tundu guitariste de génie s'en était sorti à Lisbonne, cependant que Malan et Ntchoba tous deux chanteurs éminemment doués pourtant avaient échoué, comme ils ne pouvaient de toute façon qu'échouer, avait-il pensé, pour la bonne raison qu'un chanteur même excellent est tout ce qu'il y a de plus simple à détruire, il suffit pour cela de l'empêcher de chanter, de le priver de micro et d'attendre, les années passent et inéluctablement le chanteur dépérit, à la fin il meurt tout simplement, pas seulement le chanteur en lui mais l'homme tout court, il meurt pour de bon, comme est mort Ntchoba s'était dit Couto, de mutisme et de silence plus encore que de quoi que ce soit d'autre.

Il en allait autrement des guitaristes et c'était tant mieux pour eux. Un bon guitariste ça a le cuir dur, avait pensé Couto, c'est à peu près indestructible, même les pires coups bas ne peuvent pas faire que ça ne reste pas ce que c'est : un musicien recherché, dont tous les groupes ont tôt ou tard besoin, qui trouve toujours à s'engager ici ou là pour un remplacement, un renfort. Un musicien que bien souvent même les groupes s'arrachent, pour peu qu'il soit un peu discipliné et sache en prime placer de temps en temps un solo bien senti. Les chanteurs meurent et les guitaristes s'en tirent, avait pensé Couto, il en a toujours été ainsi sans doute et Djon dans la jungle parisienne comme Tundu dans la jungle de Lisbonne en sont deux preuves vivantes de plus, eux qui autrefois étaient parmi les tout meilleurs guitaristes d'Afrique continuent à Paris et à Lisbonne de compter parmi les guitaristes indestructibles, ceux que tous les groupes draguent, dont le nom sur une affiche suffit à attirer les connaisseurs, ceux qu'on n'est pas près d'enterrer ni de réduire au silence, avait pensé Couto.

Une semaine après le rendez-vous dans le bar, Malan était parti à Lisbonne graver avec Tundu les deux morceaux promis. Comme pour faire la nique à Couto et à tous ses mauvais pressentiments. Couto avait reçu un coup de fil des deux amis euphoriques au sortir d'une répète, jurant que Couto et les autres auraient bientôt du lourd à écouter.

Depuis les titres étaient au mixage, on attendait. Est-ce que les prises studio s'étaient révélées moins bonnes que prévu. Est-ce que Malan, sur sa lancée, s'était remis à croire à l'idée d'un album entier. Est-ce que d'avoir enfin les deux morceaux en boîte, après tant d'années à espérer ce moment, il avait été soudain pris de trouille à l'idée que plus rien ne le retenait désormais, que le retour attendu allait pouvoir devenir réalité, qu'il n'y avait plus rien à faire pour cela que quelques gestes – acheter un billet, rassembler trois affaires, laisser une fois de plus derrière lui le peu qu'il avait construit et qui pendant vingt-cinq ans lui avait peut-être paru dérisoire mais qui à présent, au moment de s'en aller, ne lui semblait plus si absolument dépourvu de valeur, le foyer qui à la longue avait fini par devenir comme un deuxième chez-lui, le thé trop amer dans les verres trop grands l'après-midi, entre immigrés paumés, les copines avec lesquelles il avait tout de même eu de bons moments, les amitiés nouées presque sans le vouloir, à force de moments partagés sans y faire attention, simplement du fait d'être là, côte à côte à longueur de journée, à guetter les bulletins d'infos sur RFI, à attendre que la place devant l'ordinateur connecté à internet se libère, à regarder les matches de foot et les courses de chevaux, à trinquer les soirs de réveillon dans des verres en plastique au milieu du salon aux murs couverts de photos du pays censées l'égayer, à marcher une fois par mois jusqu'au Western Union du coin pour envoyer trois sous symboliques qui avaient surtout pour fonction de marquer la fidélité aux parents laissés là-bas, de montrer qu'on ne les oubliait pas, qu'ils continuaient d'être là, dans les pensées de tous les jours, et avec quelle intensité, combien de dizaines de fois par vingt-quatre heures, eux-mêmes auraient été stupéfaits de l'apprendre – est-ce que c'était tout ça maintenant qui le retenait bien davantage qu'il n'aurait cru.

Ça va les gars je vous jure, avait répété Malan.

Sa voix avait repris de l'assurance.

Et qu'est-ce qui va se passer maintenant. Vous avez prévu quelque chose pour elle.

On joue ce soir, avait dit Couto.

Dans deux heures exactement mon pote, avait dit Miguelinho. Chez Nunu, sur la terrasse du bar. Hommage à la *Kantadura*.

Je penserai à vous.

Sa voix était douce, heureuse.

Je penserai à vous, ça je peux vous le dire.

Il s'était raclé la gorge.

Et Gomes. C'en est où tout ce merdier.

Gomes aussi c'est pour ce soir.

Comment ça.

T'as bien entendu. Le coup d'État aussi c'est pour ce soir.

C'est une blague.

On a l'air de rigoler.

Mais comment vous savez ça.

Radio Pilon, la meilleure des sources.

Malan avait soufflé, incrédule.

Et bien sûr vous jouez quand même.

Bien sûr.

Quelle bande de malades. Je me demande si ce soir y a pas aussi un concert à Lenox. Des rappeurs je crois bien.

Comment tu sais ça toi, s'était marré Couto. Comment tu sais mieux que nous ce qui se passe au pays.

Qu'est-ce que je fais toute la journée à votre avis. Je vais sur internet, je regarde les nouvelles.

Tu connais pas leur nom.

Hard Rock quelque chose.

Hard Rock ça m'étonnerait, s'était marré Miguelinho. Hard Core Side.

Hard Core Side, c'est ça.

Ils sont allés faire leur pub jusque sur le net.

Plus que ça. Depuis trois semaines on est arrosés de mails, d'offres de préventes, de liens vers des clips. Ils sont autrement dégourdis que vous les gars.

Ils sont juste à côté d'ici. C'est nos potes.

Peut-être qu'ils sont pas au courant pour ce soir.

Des jeunes qui arrivent à brancher les Malan des foyers de Montreuil, ça m'étonnerait qu'ils sachent pas ce que dit Radio Pilon.

Alors eux aussi c'est des malades. Vous êtes tous dingues dans ce pays. Je comprends même pas comment j'ai pu vivre là-bas pendant tant d'années.

Tout simplement parce que toi aussi t'es malade, c'est évident non.

Pas malade comme vous. Pas à ce point les gars.

Le téléphone s'était mis à biper.

J'ai presque plus de crédit, merde, avait dit Miguelinho. Ça va couper.

Allez les gars, avait dit Malan.

Malaaaaaaan! avaient gueulé Miguelinho et Couto comme autrefois quand leur pote arrivait sur scène. De toute façon si on a besoin de savoir quoi que ce soit sur ce qui se passe ici, on t'appelle, pas vrai.

Malan s'était marré.

Allez les gars prenez soin de vos petits culs.

T'inquiète que nos petits culs chauffent déjà, avait dit Couto. Moi pas grand-chose de neuf, mais ce salaud de Miguelinho.

Malan s'était étranglé à l'autre bout du téléphone.

Chacals vous me dites ça au moment de raccrocher!

Miguelinho avait ri de son gros rire.

L'écoute pas, c'est pas vrai.

Tu la vois tu meurs Malan, avait dit Couto.
Sur ma tête tu meurs.

Miguelinho l'avait roué de coups.

De toute façon le téléphone avait déjà coupé.

Les rappeurs avaient leur coin quelques rues en contrebas, près d'une petite place en triangle où trônait un bâtiment délabré : Bolonda, maison de la culture où Couto et Miguelinho avaient joué un bon paquet de fois dans le temps, avec d'autres musiciens du quartier. Bolonda où des centaines de gamins et d'adultes étaient venus étudier, les uns apprendre à lire et à écrire, les autres à jouer de la guitare, de la batterie, des percussions.

Les fenêtres et les portes étaient arrachées depuis longtemps, les pièces ouvertes aux quatre vents. Couto avait voulu entrer. Une violente odeur de pisse l'avait pris à la gorge. À l'intérieur il n'y avait plus un meuble, plus une chaise. Plus rien que des vieilles bouteilles et un tableau noir accroché au mur avec des bites dessinées dessus, à côté de noms d'équipes de foot, Space Invaders et Pilon Devils.

Devant, l'esplanade était défoncée comme si une pluie de mortiers était tombée dessus.

Partout le béton était mangé d'herbes, soulevé de racines d'arbres hauts de plusieurs mètres déjà. Les dernières pluies avaient charrié là un fatras de sacs plastique, de cartons, de canettes. Tout ça tapissait le sol sur plusieurs centimètres, mêlé à une confiture indéfinissable, mélange rouge-brun de béton pilé, de latérite, de végétaux pourris et dieu sait de quel jus qui était en somme celui de la ville, sa transpiration, son suc, s'écoulant par toutes les rigoles des ruelles en pente.

Couto avait regardé Miguelinho pour voir s'il pensait comme lui.

C'est pourri mais pas tant que ça.

Désherber un bon coup. Racler la croûte de crasse. Passer une grande giclée d'eau. Recimenter l'esplanade. C'était l'affaire de trois jours à tout casser. Rien ne pourrait jamais enlever à Bolonda ce qui avait fait son succès : son emplacement imprenable, à la croisée des deux rues, en léger surplomb par rapport à toute la partie basse du quartier.

Les rappeurs étaient là, juste de l'autre côté, en contrebas, buvant le thé sur une terrasse. La bande au complet : Thioume-C, El Bachir, Badson, Kassi et même Douby, leur arrangeur.

Entre eux et les autres bandes de gamins de la ville, il y avait un univers. Eux ne parlaient pas combines, débrouille, bouts de sandwiches mendiés. Ils discutaient promo du prochain album, répètes, studio, tournées. Ils avaient le vent en poupe. Remplissaient toutes les salles qu'ils louaient. Comptaient des centaines de fans assez fous pour taguer leur nom sur les troncs d'arbres et les transfos de tout Pilon : HARD CORE SIDE.

Salut, grands.

C'était comme ça qu'ils appelaient Couto et les autres : *garandi*. Avec un rien de déférence, en jeunes suffisamment sûrs d'eux pour ne pas se montrer avares d'estime envers les autres. *Garandi* comme s'ils avaient eu devant eux des vieux un peu hors du coup maintenant, dont la musique ne se vendait plus trop, appartenait à la même préhistoire légendaire que les tubes de José Carlos et l'hymne national composé par Cabral, mais qui avaient autrefois été des stars, rempli les stades de toutes les capitales d'Afrique, triomphé jusqu'à La Havane, et méritaient rien que pour cela leur respect, puisque c'était ce qui comptait par-dessus tout à leurs yeux : le succès.

En les voyant arriver, Thioume-C s'était levé de son tabouret avec deux verres de thé bien mousseux. Les leur avait tendus.

Couto avait regardé ses cheveux hérissés en pointes, raides, menaçants. Sous ces cornes son visage était doux, barbiche au menton et petites lunettes rondes d'intello. Les paroles de ses chansons lui venaient pendant les répètes, en impro. Il les notait vite, pour ne pas perdre l'élan. Les retravaillait ensuite pendant des heures, ramassant, resserrant, condensant. À la fin ses couplets étaient durs comme des cailloux.

173

Il écoutait tout ce que ses oreilles attrapaient à la radio ou en live, reggae, funk, blues, classique, dévorait tous les bouquins qu'on lui mettait entre les mains, philo, bios de musiciens, livres d'histoire, recueils de poésie, pas seulement en créole ou en portugais mais en anglais, en français même, qu'il savait un peu par sa mère sénégalaise.

Couto l'aimait bien ce gosse. Sa concentration chaque fois qu'il venait à un concert. Sa façon de s'approcher d'Eliseu pendant les répètes pour suivre les lignes de basse. Son air perpétuellement avide d'apprendre.

Plusieurs fois Couto s'était fait la réflexion en l'apercevant dans la salle au milieu d'un morceau : les autres dansent mais lui écoute. Lui est comme un fauve aux aguets, un animal à l'ouïe suraiguë qui perçoit chaque note émise, chaque dissonance voulue ou non, chaque moment de grâce.

Les bords du verre étaient brûlants, le liquide à l'intérieur épais, gorgé de sucre, presque visqueux. Ça vous brûlait délicieusement la gorge, vous tombait sur l'estomac comme du miel.

C'est le troisième, avait dit Thioume-C. Celui des femmes.

Couto avait souri.

Paraît que vous jouez ce soir.

À Lenox, ouais. Vous voulez qu'on vous mette des invites, que vous veniez un peu entendre de la bombe.

Couto s'était marré.

De la bombe on en fait toute la semaine tu sais.

Ouais mais là je te parle de vraie bombe.

De la bombe en play-back, c'est vrai qu'on n'a pas l'habitude.

Comme presque tous les rappeurs de la ville, Thioume-C et sa bande ne travaillaient qu'à l'ordi, sur logiciel. Tant que leurs morceaux passaient à la radio, ils s'en foutaient. Que leurs boîtes à rythme fassent un peu dégueulasse, c'était compensé par le flow des voix, la force des textes. Mais sur scène ça leur faisait mal de se retrouver tout seuls avec le micro, obligés d'attendre comme des pots de fleurs que le DJ balance la sauce. Alors ils comblaient. Meublaient le vide comme ils pouvaient. Se mettaient infailliblement, sitôt le micro au poing, à jouer les méchants, insultant le public, vomissant les groupes passés avant eux, les groupes programmés après, crachant à la face de tous les putains de niggers du monde qui avaient honte de leur putain de condition de niggers de merde. Aux platines le DJ se dépêchait de lancer la piste mais ça n'allait jamais assez vite et lui non plus ils ne se gênaient pas pour le couvrir d'injures, *bring the shit motherfucker* comme s'il avait été le dernier de leurs esclaves, *bring the bullet now come on you son of a bitch what' you doin' man* jusqu'au moment où l'appareil plantait, confusion de pistes, bug de CD qui les contraignait à dégonfler toute la pompe de leur show émaillé de vidéoprojections

175

et de mannequins habillés par les couturiers de la place pour courir au milieu du public secourir le malheureux, parfois même s'arrêter les bras ballants et dire de but en blanc la 4 DJ, balance la 4, avant de s'exclamer de nouveau dès que la putain de 4 démarrait enfin *yeah man good vibe, yeah man bring it again bring it come on come on okaaaaaaaay.*

Couto et les autres allaient les voir pour prendre une leçon de tchatche, de jeu de jambes, de punch, de communion avec la salle, parfois aussi tout simplement de musique, car c'étaient des bons. Eux venaient voir le Mama Djombo pour rêver mélancoliquement à ce qu'ils n'avaient pas et n'auraient jamais : un orchestre capable de jouer le meilleur goumbé comme la minute d'après le meilleur James Brown, et celle d'après encore le meilleur mbalaax, le meilleur reggae, le meilleur zouk, le meilleur hip hop même s'il avait fallu.

Sans rire, ça vous ferait pas plaisir de venir voir Lenox blindé pour une fois, avait dit Thioume-C.

Il avait attrapé le verre vide que lui tendait Miguelinho, l'avait reposé sur le petit plateau en métal près du fourneau. Blinder Lenox, ça voulait dire faire six mille entrées.

Vous croyez que je blague mais non. On est déjà à quatre mille préventes.

Quatre mille, tu t'enflammes pas t'es sûr.

Quatre mille payées, avait dit Thioume-C. Regardez l'argent, on était en train de le compter.

Bachir et Douby étaient assis par terre, des liasses de billets et des souches de tickets près d'eux. Ils rangeaient les rectangles de papier par liasses de dix, les tapotaient sur le bord d'un tabouret pour en égaliser les bords, passaient le coin entre les mâchoires d'une agrafeuse, appuyaient d'un coup sec.

Liasses de dix billets rouges, dix mille.

De dix billets bleus, vingt mille.

De dix billets verts, cinquante mille.

De dix billets violets, les plus nombreux, les plus grands et les plus précieux aussi, certains rafistolés de morceaux de scotch : cent mille.

Couto s'était revu en train de mendier mille à Esperança tout à l'heure. Il s'était senti honteux : pas être foutu de ramener le centième de ce que levaient ces gosses.

Thioume-C avait pris la carafe, rincé le verre, l'avait reposé sur le plateau.

Tant mieux parce que ça raque de louer Lenox, avait dit Couto. Ça raque, non. Je sais pas, nous quand on y joue c'est au cachet, on paie jamais.

Un million, avait dit Thioume-C. On a mis les entrées à trois mille, on devrait s'en sortir. Elles étaient à deux mille l'an dernier à Sabura et c'était plein. Alors avec tout le bruit qu'on a fait cette année. On n'a déjà presque plus de tee-shirts.

Ils avaient fait des tee-shirts. Maintenant que Thioume-C le disait, ça revenait à Couto. Les spots en boucle sur les radios, les jeux concours, les places à gagner, les tee-shirts collectors. Une vraie promo de divas.

Vous les avez pas vus nos tee-shirts.

Couto avait dit non de la tête.

Thioume-C avait fait signe à Badson de lui en envoyer un, l'avait sorti de son film plastique pour le déplier. Un grand tee-shirt noir, avec tagués dessus en rouge et blanc les mots Hard Core Side, fissurés d'un éclair. En bas à gauche, le graphiste avait mis l'adresse de leur compte myspace.

Pour ceux qui veulent revoir nos clips.

Ces gars-là étaient des génies. Pourquoi Atchutchi ne les embauchait pas tout de suite comme managers.

Vous allez bien nous en prendre un.

Saloperie de rappeurs. Déjà qu'ils enterraient leurs grands sur toutes les radios, les renvoyaient à la préhistoire à chaque interview. Maintenant fallait casquer pour leur acheter leurs tee-shirts.

Qu'est-ce que tu veux qu'on en fasse de ton tee-shirt, avait dit Couto.

Le mettre ! Vous voulez avoir l'air de stars ou pas.

Thioume-C leur en avait enfoncé un chacun dans le ventre, roulé en boule, façon direct dans le foie.

C'est pour la maison, allez.

Couto s'était arraché pour le remercier d'un sourire.

On vous a entendus sur Radio Jovem l'autre jour, avait dit Miguelinho. C'était bien. Il est bon votre dernier morceau.

Super, avait dit Thioume-C. Et nous on vous a vus y a trois semaines à Bambu. C'était cool, ça bougeait.

Ça bougeait c'est-à-dire, avait dit Couto.

Thioume-C avait bredouillé.

Je veux dire ça bougeait plus que je pensais, quoi. Ça avait vraiment de la gueule.

Petit branleur. Couto aurait voulu qu'il voie la foule hystérique à leurs concerts autrefois. Qu'il voie les grilles du stade de Dakar craquer dès les premières notes de *Pamparida* en 1979. La foule envahir la scène. Les vigiles abandonner leur poste pour se ruer comme les autres sur scène et essayer d'attraper à la volée les porte-clefs jetés par Serifo.

Pour ce soir c'est dommage, on serait venus avec plaisir, mais nous aussi on joue. Au Chiringuito, chez Nunu. Concert pour Dulce.

Dulce la chanteuse, avait demandé Thioume-C. Elle sera là?

Elle est morte.

Couto avait regardé les mains pleines de billets de Douby et Bachir. Il avait senti les siennes le démanger, réclamer elles aussi quelque chose à empoigner, quelque chose de sale, d'âpre, qui rapporte de l'argent. N'importe quelle corvée pourvu qu'elle fasse apparaître un billet dans leurs paumes.

Thioume-C avait baissé les yeux, l'air sincèrement peiné.

Merde. C'est arrivé quand.

Cette nuit.

Il s'était tourné vers les autres, comme pour les prendre à témoin.

On la connaissait un peu.

Badson et Bachir avaient hoché la tête.

Elle était chouette Dulce.

Elle avait accepté de venir chanter sur deux de nos morceaux. Vous saviez ça.

Non Couto et Miguelinho ne savaient pas.

On l'avait contactée il y a quelques mois. On pensait jamais qu'elle dirait oui, ni même qu'elle répondrait. Elle a tout de suite rappelé. Elle est venue au studio. C'est con, on a justement fini de monter les prises cette semaine. À deux jours près elle aurait pu les entendre.

Couto les avait regardés. Pensant ces gosses sont la vie. La vie comme moi aussi j'ai été la vie autrefois, impétueuse, impatiente, non lestée encore de regrets, trop pressée d'aller de l'avant pour se retourner et concevoir même qu'un jour elle ne détestera pas se retourner.

Passez-les ce soir.

Et comment qu'on va les passer.

Passez-les et dites-le à tout le monde, qu'elle est morte. Passez-les bien fort les gars, que tout Lenox entende sa voix et pense à elle.

Thioume-C avait tendu les phalanges de son poing en signe de promesse.

Vous aviez même pas besoin de le dire, grands.

Fala filadu, parler droit, tenir parole. Thioume-C était du genre solide, sur qui on peut compter.

Faut qu'on y aille, avait dit Miguelinho.

Ensemble ils avaient regardé les toits de tôle des maisons en contrebas.

En face le soleil déclinait, presque rouge déjà. Les enfants achevaient leurs jeux. L'air fraîchissait. Le soir tombait comme il tombe en Guinée – d'un coup.

Chez Diabaté. Un bout de kiosque foutraque en bord de carrefour. Quelques tables en plastique jetées à la va-vite sur le bas-côté de la route, à même la terre et les cailloux, au milieu des gaz d'échappement et des bruits de klaxons. Les mots CARNE ASADA, viande grillée, peints à la va-vite sur un écriteau qu'on voyait de loin, cloué comme une horloge au fronton du toit branlant. L'absence de toute déco, de toute velléité de déco, de tout empressement dans le service, de tout sourire, de tout effort même semblait-il hormis celui-là : offrir le meilleur agneau grillé possible. Partout ailleurs vous aviez la viande que vous vouliez, mouton, bœuf, poulet, gibier même les jours de chance, phacochère, singe, biche, porc-épic. Chez Diabaté non. C'était agneau ou rien. Vous arriviez et vous choisissiez un morceau, puis un autre, puis encore un autre. Diabaté les pesait, les émincait. Les saupoudrait d'épices. Les jetait sur les braises quelques secondes avant de vous les faire porter dans une assiette, juteux, fondants.

Attablés au bord de la route, les autres étaient là. Il y avait Atchutchi, Zé, Ivan, Eliseu, Binham, Karyna, Pitchetche. Le Mama Djombo au complet, anciens et nouveaux.

Miguelinho. Couto.

La voix d'Atchutchi pour les accueillir.

Salut les gars.

La discussion était déjà vive.

La voix d'Ivan.

Ça demande pas réflexion, c'est tout vu. On joue.

Son poing sur la table.

Qui est pour qu'on joue, allez.

Leurs mains levées à tous.

On joue! On monte sur scène et la première chose qu'on dit c'est ça: elle est morte. Et on prévient les gens qu'il va falloir qu'ils se cramponnent. Parce qu'on a décidé de faire pour elle le plus extraordinaire concert jamais vu.

La voix d'Ivan toujours.

Qui est pour qu'on fasse ça: un concert dont tout le monde se souviendra dans dix ans.

Les mains à nouveau levées.

Atchutchi et Zé hilares.

Bon. Eh ben y a plus qu'à se préparer.

Couto s'était raclé la gorge.

Est-ce que la jeunesse m'autorise juste à faire une suggestion.

Ivan et les autres l'avaient regardé.

Suggère.

Binham et toi pourquoi vous iriez pas vite fait enregistrer un spot à Radio Jovem.

Un spot maintenant, à deux heures du concert?

Un spot dans lequel vous diriez qu'on va jouer pour Dulce. En hommage à la grande Dulce, disparue ce matin. Que l'info tombe enfin. Qu'on l'annonce nous, puisque Gomes le fait pas.

Ivan avait souri.

Ah ouais pas mal.

Il avait regardé Binham d'un air de lui demander son avis. Ils s'étaient levés.

Je les connais comme si je les avais faits, les gars de Radio Jovem. Le spot sera prêt dans un quart d'heure. Ensuite on peut leur faire confiance pour le passer en boucle.

Ils avaient sauté en voiture, étaient partis en trombe.

Couto était resté à regarder le goudron du côté où ils venaient de disparaître. Il avait pensé à Nunu, à Keba, au Chiringuito dont la terrasse tout à l'heure déborderait de monde.

Miguelinho avait sorti de sa veste l'enveloppe avec les photos.

Regardez ce qu'on a apporté.

Il avait posé sur la table les tirages en noir et blanc.

Le concert de Dakar, avait dit Zé.

1979, avait dit Atchutchi. Ça nous rajeunit pas. Karyna et Eliseu étaient pas nés.

Elles sont belles non.

Le silence s'était fait autour de la table. Ils avaient tous regardé le visage de Dulce sur les photos, ses yeux posés sur le public, pleins de désir, d'envie de plaire, sa silhouette qui au milieu des cailloux et des gaz d'échappement, dans la nuit tombante, avait l'air plus fragile encore que tout à l'heure chez Miguelinho.

On va les faire retirer pour que tout le monde en ait.

Un taxi était venu se garer presque contre leur table. Bruno en était descendu, grand et mince dans ses vêtements de lin clair, col ouvert, sentant frais l'après-rasage.

Salut vieux, avait dit Miguelinho.

Salut.

Il avait tiré une chaise entre Atchutchi et Zé. Couto avait regardé ses sandales en cuir toutes simples, la chute impeccable de son pantalon, les manches de sa chemise négligemment remontées, tout en élégance.

Ça fait longtemps dis donc.

Depuis ton bras cassé à Cacheu je crois bien.

Si longtemps que ça.

Réjouis-toi, ça veut dire que t'as la santé.

Bruno avait été le technicien du groupe aux tout débuts, avant même l'arrivée de Dulce. Le préposé à la sono et à la console. Le préposé aux lumières aussi – du moins à ce que le groupe possédait de lumières à l'époque, trois projos à tout casser, que Bruno branchait et débranchait pour les allumer et les éteindre, variant les gélatines à la pause, quatre en tout, dont deux cramées, rouge et bleu, ses préférées, malgré la tache noire au milieu. Et puis il avait obtenu une bourse, était parti étudier la médecine à Lisbonne, avait eu là-bas son diplôme dans les premiers. Maintenant il avait sa clinique à Bairro de Ajuda, l'une des plus modernes et des plus courues du pays. En quelques années il était devenu le médecin de confiance de la moitié des notables de la ville, Gomes compris.

De tout le temps passé ensemble autrefois, de toutes les soirées de concerts dans les bars et à l'UDIB, il restait une entente, une sorte de fraternité tacite, par-delà toutes les différences sociales, les probables désaccords politiques, les cercles de fréquentations distincts. En ouvrant sa clinique ultramoderne, Bruno était passé de l'autre côté : celui des puissants, des riches, bien souvent des bouffeurs même, car bouffer n'a jamais préservé des maladies. Mais il était resté fidèle à ses anciens frères, continuant de soutenir le groupe et d'assister aux concerts chaque fois qu'il pouvait, soignant Couto et les autres lorsque nécessaire, les engueulant s'ils avaient le malheur d'émettre le vœu de régler un centime, les informant de tout ce qu'il apprenait par ses clients.

C'est pas trop embêtant que tu viennes là, avait demandé Zé.

Bruno avait rigolé.

C'est sûr que c'est pas l'endroit le mieux planqué de la ville, mais qu'est-ce que ça peut faire. De toute façon ils le savent, qu'on se parle.

La serveuse était venue lui porter une bière.

Le silence s'était fait autour de la table.

Je sais pas quoi vous dire, avait lâché Bruno. Vous voulez la version officielle ou la mienne.

Quelle version officielle, avait dit Miguelinho. Officiellement elle est toujours pas morte.

Elle le sera demain matin.

Ils diront rien avant demain?

Ils diront rien pour une raison très simple : c'est ce soir qu'ils font le coup.

On est au courant, avait dit Zé. Mais quel rapport avec Dulce.

Demain les gens parleront du coup d'État, vomiront Gomes. Mais ils parleront aussi de Dulce. Ils seront émus. Toutes les radios repasseront ses chansons. Il y aura de grandes funérailles, suivies par des dizaines de milliers de gens. Des discours. Des larmes. Du pain bénit pour Gomes.

Ha ha, avait fait Miguelinho.

Pourquoi tu rigoles.

Parce que dans dix minutes à tout casser, le spot d'Ivan et Binham passera à la radio. Et que toute la ville sera au courant.

Quel spot.

« Grand concert d'hommage à Dulce, décédée ce matin, par le Super Mama Djombo au complet. »

Vous avez fait ça.

Miguelinho avait dit oui.

Bruno s'était marré.

Gomes aura d'autres soucis à régler ce soir mais quand même, ça va bien le faire chier. C'est pour de vrai alors, vous jouez.

On joue.

Concert pour Dulce, faut que je vienne. Si je viens pas là, je viens plus nulle part.

Il y avait eu un silence.

Il paraît que tu l'as vue, avait dit Miguelinho. C'est toi qui l'as trouvée.

Je l'ai vue, oui, avait dit doucement Bruno. Elle était dans son lit. Allongée sur ses oreillers. C'était fini depuis un moment déjà.

Un moment c'est-à-dire, avait dit Zé.

Le milieu de la nuit sans doute.

Il avait hésité à continuer.

Et y avait pas de traces de coups, au cas où vous vous poseriez la question. Ni traces de violence, ni traces de coupures qu'elle aurait pu se faire. J'ai fouillé dans ses tiroirs, trouvé une sacrée collection de boîtes de somnifères. Mais toutes fermées. Elle est morte dans son sommeil. Tout simplement. Comme je nous souhaite à tous de mourir.

Couto avait regardé les doigts de Miguelinho manipuler son verre vide.

Le soleil avait disparu maintenant. Certaines voitures avaient leurs phares allumés. En face, de l'autre côté du goudron, la boutique d'un Maure brillait comme un reliquaire. Le bleu des parois luisait. Les sachets de lessive et de jus de fruits accrochés au grillage scintillaient comme des breloques.

Bruno avait aperçu les photos de Dulce sur la table.

Ça file une claque de la revoir toute jeune.

Il avait pris la photo de Dakar pour la regarder mieux, dans la lumière de plus en plus faible. L'avait reposée doucement. Avait pris celle de l'UDIB. Était resté dix secondes sans rien dire, à admirer Dulce sur scène. À se rappeler probablement lui aussi toutes ces années, cette période de sa vie, peut-être très exactement ce concert, qu'il avait sonorisé lui-même, comme des dizaines d'autres.

Elles sont belles, avait dit Bruno après un moment. Vous les avez bien choisies. Bravo.

Bravo dit d'une voix sincèrement reconnaissante, comme si ça lui faisait du bien à lui aussi, comme si en choisissant de montrer cette Dulce à tout le monde c'était un peu de lui aussi que Couto et Miguelinho avaient pris soin, de lui et de ses souvenirs.

Il avait attrapé une enveloppe de papier kraft dans son sac et l'avait tendue à Couto par-dessus la table.

Tiens. On a eu la même idée.

Il avait attendu que Couto tende la main.

On peut voir, avait demandé Atchutchi.

Non, c'est entre nous, avait dit Bruno.

Couto avait senti son ventre se nouer.

Il s'était rappelé la séance photo dans un coin du jardin le jour du mariage, la fête presque terminée, les invités largement assommés d'alcool déjà. Bruno chargé de photographier la cérémonie qui à un moment donné en avait eu assez des poses sages, assez des portraits de Dulce et Gomes en jeunes mariés heureux et des clichés

190

du président et de tous les hiérarques flanqués de leurs épouses en robe et chapeau, et qui était venu les trouver Dulce et lui près du buffet, les avait pris presque de force par la main en leur disant allez venez vite par là, venez là tous les deux qu'on se marre, Couto disant qu'est-ce que tu fous, Dulce râlant Bruno non, Bruno lui se contentant de sourire et de leur dire grouillez-vous allez, vous voulez qu'on nous voie ou quoi, les entraînant jusque derrière une haie de bougainvilliers où il avait sorti son appareil et leur avait dit ne bougez plus, toi Dulce mets-toi là, toi Couto ici, allez faites pas cette gueule souriez, souriez merde, et Dulce et Couto tellement surpris de se trouver là que Bruno avait eu le temps d'appuyer trois ou quatre fois au moins sur le déclencheur avant que Dulce revienne à elle et l'engueule.

Atchutchi avait proposé une deuxième bière à Bruno, mais il avait fait non de la tête.

Faut que j'y retourne. Il me reste du boulot.

Il avait sifflé le fond de son verre.

Faites gaffe à vous, allez.

Il s'était levé, avait traversé le goudron, arrêté le premier taxi sur le trottoir d'en face. Couto l'avait regardé sauter dedans, agiter la main derrière la vitre, disparaître dans la circulation.

Il avait examiné l'enveloppe posée devant lui.

Ben vous en faites une tête, avait dit une voix.

Couto avait levé les yeux et vu Diabaté debout devant leur table, les traits de son grand visage noir à peine discernables dans l'obscurité, son tablier brun de sang, ses grandes mains luisantes plongées dans un torchon qui dans ses paumes avait l'air d'un mouchoir. Il s'était approché comme un chat, sans que personne l'entende.

Diabaté. Tu nous as fait peur.

Qu'est-ce qu'y a les gars on salue plus son grand. Ho qu'est-ce que vous avez tous. Ça va pas fort on dirait.

Ils lui avaient dit pour Dulce, pour le concert.

Diabaté s'était tu.

Je serai là. Le gosse me remplacera ici, que je puisse venir.

Ils avaient trinqué.

À la vôtre les gars.

À Dulce allez.

À la Guinée.

Allez.

Pabia li ki no tchom. Parce que c'est notre terre.

Oui.

Diabaté avait bu trois gorgées puis était retourné près de son feu. Couto l'avait regardé prendre un bout de carton et se pencher sur le demi-bidon transformé en barbecue, se mettre à battre l'air pour attiser les braises, d'un mouvement de poignet sec, rapide, le rougeoiement se propageant un peu plus chaque fois, le grésillement de la viande s'amplifiant.

Il faisait nuit maintenant. Diabaté avait piqué les morceaux sur la grille avec une fourchette, les avait déposés dans des assiettes, saupoudrés de cumin. Il avait sorti un nouvel agneau pour le découper. Couto avait regardé l'ampoule au-dessus de lui éclairer la carcasse, aviver les rouges, creuser les ombres, jaunir le gras, faire briller la lame du couteau qui tantôt s'enfonçait en glissant dans les chairs, tantôt s'abattait d'un coup comme un sabre.

L'enveloppe était toujours posée sur la table. Couto l'avait ouverte, en avait sorti la photo de Dulce et lui devant la haie de bougainvilliers. Le tirage était petit, comme si Bruno avait voulu en atténuer l'effet. Dulce se serrait contre lui dans sa robe de mariée, son bouquet de fleurs dans les mains, le bras de Couto autour de ses épaules. Ils riaient tous les deux de la blague de Bruno. Riaient d'un rire un peu inquiet, pressés, effrayés d'être vus.

Ils étaient jeunes. Extraordinairement jeunes.

Les yeux de Couto s'étaient fixés sur l'ampoule au-dessus de l'établi de Diabaté. Sur le filament incandescent de l'ampoule.

Il avait senti le museau d'un chien entre ses pieds.

Pssss, avait fait Atchutchi en secouant la jambe pour l'éloigner.

Le chien s'était esquivé en glapissant, un reste de côtelette à la bouche. Couto l'avait vu s'éloigner vers une autre table dans la lueur des phares. Pour la première fois ses oreilles avaient entendu le mauvais cabo que vomissaient les enceintes du restaurant. Les basses saturaient, le volume poussé à fond faisait cracher les baffles. Est-ce possible, avait pensé Couto. Est-ce possible que je sois resté assis là depuis le début sans rien entendre.

Ça va Couto.

La voix de Miguelinho.

Ho Couto qu'est-ce qu'y a qu'est-ce qui se passe.

Faut que je prenne l'air je crois.

Ça va aller mon vieux t'es sûr.

Lâche-moi.

Il s'était levé en titubant. Avait senti les mains de Miguelinho autour de ses épaules, l'haleine de Miguelinho dans son visage. Entendu sa voix.

Les gars, y a Couto qui est pas bien.

Lâche-moi putain.

Tu veux pas que je vienne avec toi t'es sûr.

Je veux qu'on me foute la paix.

Il s'était pris les pieds dans la table en essayant de se dégager, avait envoyé valser les assiettes et les verres.

Eh merde.

Il avait piqué devant lui sans réfléchir, entre les voitures.

Couto !

Entendu le hurlement des klaxons. Le crissement des freins. Senti un choc contre ses genoux.

La voix du chauffeur furibard.

Qu'il aille se faire foutre.

La voix du chauffeur encore.

Qu'est-ce qu'y a t'as un problème mon pote t'es pressé de mourir c'est ça.

Va te faire foutre, hurlé avec une telle rage que le type était rentré vite fait dans sa voiture.

Couto !

La voix de Miguelinho l'appelant par-delà le vacarme des klaxons.

Couto !

Fous-lui la paix.

La voix d'Atchutchi.

L'aveuglement des phares.

Couto qu'est-ce que tu fous reviens !

Il avait senti le vacarme des klaxons s'éloigner dans son dos. Senti la fraîcheur de la nuit l'envelopper à nouveau, l'obscurité alentour redevenir calme, vaste. Senti le sang lui bourdonner dans la tête, la tristesse et la honte de sa tristesse l'agiter comme un spasme.

Rei di merda, roi de merde.

Couto *dun di ke*, grand patron de quoi, *dun di merda*, grand patron de la merde.

Il avait senti la colère dans son ventre comme une boule impossible à cracher, colère contre qui, contre quoi.

Il avait eu envie de vomir.

S'était donné un coup de poing dans le ventre.

Saloperie de vessie qui lui faisait mal.

Saloperie de vieillard amoché, la vessie percée, la tristesse amère.

Il s'était dit enfin.

Enfin tristesse je te sens qui coules en moi comme un jus amer.

Couto dun di tristeza.

Tristeza dun di Couto.

Tristesse grande patronne de Couto.

Il avait marché le long du goudron dans la nuit, ahanant, suant.

S'était un peu redressé au bout de quelques minutes.

Avait inspiré longuement, essayé de se calmer.

Couto le magnifique.

Couto le vieillard à la vessie foireuse.

Devant lui il avait reconnu le carrefour de Bandim.

L'enseigne violette et l'esplanade bétonnée de la station Engen.

Les taxis engourdis sous la lumière des néons.

Les conducteurs arrêtés là le temps de manger un morceau, d'acheter un bidon d'huile, de remettre cinq litres de gasoil dans leur réservoir, de faire laver leur voiture.

Les chiens endormis sous les roues des camions.

Il avait respiré.

Empli ses poumons de l'air de la nuit.

Il avait éprouvé que la nuit lui faisait du bien, que le souffle sur son visage le calmait.

Le feu était passé au vert pour les piétons.

Le flot des taxis avait ralenti, s'était immobilisé.

Il avait traversé l'avenue sous les grands réverbères, senti se presser contre lui d'autres silhouettes, deviné près de lui la tache verte d'autres visages.

Il s'était enfoncé dans les rues noires et vides

du marché, avait vu les derniers marchands remballer leur camelote, les portes en tôle des rares boutiques encore ouvertes se refermer en grinçant, un battant résister çà et là, le marchand le rouvrir grand et le claquer, la lumière allumée à l'intérieur continuer de briller derrière le panneau grillagé, le filament incandescent de l'ampoule scintiller encore un instant au bout de la douille, s'éteindre enfin à son tour.

Il avait recommencé d'entendre le bruit de ses pas sur le goudron.

Une heure, avait-il pensé. Une heure à me promener en paix, et puis j'irai retrouver les autres pour le concert.

Il avait croisé un homme sentant bon l'eau de Cologne, les habits frais, les cheveux bien peignés. Il avait vu une femme sortir d'une maison, roulée dans un pagne, les épaules nues, senti sa bonne odeur de savon, odeur de propre, odeur de douche. Il avait vu la femme verser un seau dans le caniveau, regardé l'eau briller dans la nuit en tombant.

Au fond du caniveau il avait scruté le jus stagnant, les sacs plastique macérant, les bouteilles en verre luisant sous la lune. Il avait laissé ses yeux errer parmi les formes verdâtres, moussues. Mélange de restes de viande, de vieux légumes, de canettes en métal, d'excréments animaux et humains.

Il avait respiré l'odeur du marché abandonné, odeur de fond de panier à légumes, de sang froid.

Maintenant la nuit était noire. Il faisait bon.

Il avait levé les yeux et regardé le feuillage sombre d'un manguier bouger doucement dans l'air au-dessus de lui, ses longues feuilles effilées tinter les unes contre les autres.

Il avait entendu un rire venu d'un coin sombre, deviné deux formes assises sur le pas d'une maison, les jambes mêlées. Il avait vu les amoureux se redresser en silence à son approche, attendre immobiles qu'il passe, conscients d'être vus, nullement fâchés, sachant le temps de leur côté.

Il avait repensé à Dulce près de lui dans sa robe de mariée. Repensé à son visage fatigué le jour où elle l'avait retrouvé à sa sortie de la clinique.

Pendant des années après il ne l'avait plus revue. N'avait plus beaucoup pensé à elle non plus, s'était plutôt préoccupé de continuer à jouer pour gagner sa croûte avec ceux du groupe restés au pays. Il avait fait pendant quelques mois la classe dans une école primaire, ouvert avec Nunu une épicerie de quartier, tenté un moment de se lancer dans le commerce de mangues, perdu toutes ses économies au cours d'un voyage où son chargement était resté bloqué trois nuits d'affilée dans la file d'attente du bac de São Vicente, pourrissant tout entier.

Un matin il avait appris l'incendie de l'União Desportiva. L'UDIB du black-out et des répètes acharnées. L'UDIB des premiers concerts.

Notre UDIB putain.

Il avait eu envie d'y retourner. Il avait marché jusqu'à l'entrée de Praça, tout en haut de l'avenue Amílcar Cabral, avait eu un choc en arrivant devant le bâtiment à demi effondré – pas seulement à cause du toit crevé et des murs noircis de fumée et du sol couvert d'éclats de stuc tombés du plafond.

Dulce était là, seule au milieu de la salle immense, dans la lumière pleuvant du toit.

Qu'est-ce que tu fais là, avait dit Couto incrédule, et le bruit de sa voix avait fait s'envoler toute une colonie de pigeons vingt mètres au-dessus de leurs têtes.

C'est plutôt toi, avait ri Dulce. Qu'est-ce que tu fais là toi.

Ils avaient été s'asseoir au restaurant d'en face, un parfait repaire à *djugudés* où ils ne seraient jamais entrés un autre jour.

Ils avaient recommencé à se voir un peu. Des rendez-vous de loin en loin, un verre, une promenade. Un jour qu'il revenait d'un baptême et passait devant les canisses d'un minuscule bar de Missira, il avait cru la voir à travers les joncs tressés. Il avait continué sans s'arrêter d'abord, certain de se tromper. Et puis il était revenu sur ses pas, à tout hasard. C'était elle. Attablée devant une bière.

Le Baraka Bar, c'était le nom de l'endroit. Une obscurité permanente, une palissade discrète à souhait, un frigo à gaz réglé si fort que même les jours de coupure les bières arrivaient à moitié congelées sur la table, des nuées de moustiques garantissant que la fréquentation n'irait jamais au-delà de la poignée d'abîmés qui revenaient chaque après-midi s'échouer là et que même l'irruption d'un boa de dix mètres n'aurait pas réussi à arracher à leur torpeur : le Baraka ne manquait pas d'atouts.

C'était devenu leur bar. Ils avaient pris l'habitude de s'y retrouver, toujours à la même table, que la patronne nettoyait en poussant par terre d'un coup de torchon les morceaux de gras et les cartilages de poulet laissés par les clients du midi. Couto arrivait le premier, à pied, après s'être arrêté faire quelques courses au marché. Puis c'était le tour de Dulce, à l'arrière d'un taxi bleu et blanc qu'on voyait longtemps approcher dans la rue défoncée.

Kantadura, la chanteuse, murmuraient sur le pas des maisons les enfants, pour qui le passage d'une voiture à cet endroit était toujours un événement.

Elle lui racontait sa vie de générale, le brillant un peu dérisoire des dîners qu'elle donnait à la villa, l'excitation de petite fille que c'était malgré tout de soigner chaque détail du menu, chaque bouquet de fleurs, d'achever de s'habiller en catastrophe avant l'arrivée des premiers invités, d'enfiler à la hâte une robe dans laquelle elle savait qu'elle serait irrésistible, de feindre la modestie et presque l'étonnement lorsque enfin les hôtes arrivaient et s'extasiaient de trouver tout si beau. Elle lui disait l'amour de Gomes qui ne faiblissait pas malgré les années, Gomes qui même après tout ce temps continuait de la chérir comme la plus belle chose qui lui était arrivée dans sa vie, disait-il, et cette constance la touchait, la rendait même heureuse, raisonnablement heureuse, et après tout est-ce que ce n'était pas déjà considérable.

Elle recommandait deux bières congelées et lui demandait des nouvelles de lui, d'Esperança, du groupe qui venait de se reformer et dont la rumeur disait du bien, mais lui Couto qu'en pensait-il vraiment, trouvait-il vraiment que les chansons d'aujourd'hui valaient celles d'autrefois. Ils finissaient leur verre et elle faisait signe au chauffeur qui l'avait attendue dans la pièce d'à côté, remontait en voiture escortée comme à l'aller de messes basses.

Kantadura. La chanteuse.

Nous sommes leurs deux fêlés, pensait chaque fois Couto en regardant le taxi s'en retourner vers le goudron. Nous sommes leurs deux frappés pleins d'argent à jeter par les fenêtres qui n'ont rien trouvé de mieux que se donner rendez-vous au fond de ce quartier misérable, rien trouvé de mieux que d'y venir chaque fois une heure à peine, pas même une heure seuls dans une chambre comme le voudraient tous les amants de la terre, simplement une heure à boire une bière ensemble, à bavarder calmement tous les deux, à la même table.

Bin no kume. Viens manger.

Couto avait tourné la tête, aperçu trois militaires assis sur des pliants, une lampe à piles posée près d'eux.

Deux filles marchaient juste devant lui, sur

le même trottoir. Elles étaient jeunes, sentaient bon, un parfum sucré, appétissant comme un bon gâteau. De l'amande, avait pensé Couto, et cette idée lui avait plu, il aimait beaucoup l'amande.

Ke ku fasi, bin! avait insisté la voix. Qu'est-ce que vous foutez, venez.

Les militaires finissaient de manger, une casserole de haricots à la viande près d'eux. Ils étaient en sandales, portaient des tee-shirts de sport, comme n'importe quel soir paisible.

Les filles avaient traversé la rue d'un air fatigué, en faisant traîner leurs talons sur le bitume. Un militaire s'était levé pour leur laisser sa place. Un autre avait montré ses genoux. Une des filles s'était approchée de lui, avait insensiblement remonté sa jupe et s'était assise en riant, visant bien, posant son cul à l'endroit exact où devait sommeiller le sexe du type, et l'y posant bien, l'y vissant intimement.

Un militaire avait pris deux assiettes, versé des haricots dedans, les avait tendues aux filles.

Elles avaient remercié.

I pica. C'est bon.

Oui.

Le militaire qui avait la fille sur les genoux s'était mis à lui caresser doucement la cuisse, le haut de la cuisse, puis le dessous.

La fille s'était laissé faire.

Le militaire lui avait murmuré quelque chose à l'oreille. La fille avait ri. Elle s'était penchée vers son amie pour lui faire passer le mot. L'autre fille aussi avait ri et le petit groupe s'était levé doucement, le type époussetant les miettes sur son pantalon et son tee-shirt, les filles s'étirant comme après un bon repas, bras derrière la tête, seins bombés.

Ils avaient traversé la rue et s'étaient mis à marcher sur le même trottoir que Couto, une vingtaine de mètres devant lui. Le parfum des filles sentait bon. Couto pouvait le humer en marchant, continuant de flotter longtemps après leur passage.

Ils avaient longé le stade éclairé de projecteurs, étaient arrivés devant le Sporting. Ils avaient senti les odeurs de brochettes, jeté un regard aux silhouettes d'hommes en short et débardeur à l'étage, dans l'ancienne salle de concert remeublée d'appareils de musculation, tapis de course, vélos, rameurs, barres d'abdominaux. Les filles avaient ralenti le pas, tiré un peu sur le bras du militaire pour l'entraîner vers la terrasse du restaurant. Le militaire les avait enlacées et sa main dans leur dos les avait forcées à reprendre leur marche.

Au bout de la rue ils étaient entrés dans un bar. Couto les avait regardés traverser la salle sans s'arrêter, continuer vers l'arrière-cour où se trouvaient de petites chambres à louer. Il s'était assis près d'un type endormi, la tête plantée dans une table, le front et le nez écrasés dans la lumière douce d'ampoules roses et jaunes.

Il avait demandé à la serveuse une Crystal bien fraîche.

Et moi, avait dit une fille à deux tables de là.
Qu'est-ce que je bois moi.

Elle avait dit ça d'un ton sûr d'elle, au culot.

Une Crystal, une seule, avait répété Couto.

Hé ! avait fait la fille.

Hé quoi.

T'es pas gentil.

Non.

Il l'avait à nouveau regardée. Elle souriait,
jetée en arrière contre le dos de sa chaise. Ses
doigts pianotaient doucement sur le bord de la
table, ses poignets étaient fins.

Qu'est-ce que c'est une bière.

J'ai trois fois ton âge. Je pourrais être ton
grand-père.

Mon grand-père il me la paierait, la bière.

Couto était resté sans bouger.

Allez ! avait dit la fille.

Couto avait soufflé d'un air las.

Une deuxième Crystal.

Il l'avait regardée.

Pour que tu me foutes la paix.

Les bières étaient arrivées, la fille s'était levée
pour venir trinquer avec lui.

Merci.

Il avait montré sa table.

Allez retourne t'asseoir là-bas.

Elle avait frotté doucement sa bouteille contre
celle de Couto.

Je le savais que t'étais gentil.

Je suis pas gentil. Je te paie un verre, ça veut

pas dire que je t'invite à ma table. Regarde-toi, on dirait une blague.

Regarde quoi.

Tes seins que tu me mets sous le nez. Ton cul que tu dandines.

Ça te plaît pas?

Couto n'avait rien répondu.

T'as l'air triste.

Je suis triste.

Tu vois.

Je vois quoi.

J'avais raison. Je vois tout moi. Tout! J'ai tout de suite vu que t'étais triste.

Allez va t'asseoir là-bas.

C'est pas bien.

Qu'est-ce qui est pas bien.

D'être triste comme ça. Il faut pas.

Couto l'avait regardée.

Ah bon.

Non c'est pas bien, il faut pas être triste.

Ah bon et on fait comment pour plus être triste.

On me regarde!

Elle avait ri, fière d'elle.

Je sais même pas comment il s'appelle, mon grand-père.

Papya: parler, pépier. Cette fille était infatigable.

Allez va t'asseoir à ta table je te dis. Ça suffit.

Attends je vais trouver.

Elle avait réfléchi.

Nino.

Non, avait ri Couto.

Alors Demba.

Non !

Demba j'étais sûre.

Allez ouste, à ta table.

J'y vais, mais avant tu me dis ton nom.

Couto.

Couto tout court.

Couto tout court, oui.

C'est bizarre.

C'est pas mon nom, c'est mon surnom.

Mais ton nom.

Tu m'épuises.

Ton nom vas-y.

Bayo. Saturnino Bayo.

La fille avait eu l'air déçue.

Bayo ah bon.

Oui.

T'es mandingue alors.

Ça pose un problème ?

J'aime pas trop les Mandingues.

Elle avait dit ça d'un ton d'évidence.

Qu'est-ce qu'y a qu'est-ce qu'ils ont les Mandingues.

Je sais pas, je les aime pas trop.

Mais qu'est-ce qu'ils ont qui va pas.

Elle avait ri.

Ils sont trop sérieux.

Trop sérieux comment ça.

Trop sérieux au lit quoi.

Couto s'était étranglé. Il l'avait regardée. Elle avait repris une gorgée de bière en riant.

Avec eux je m'ennuie, j'y peux rien. Je m'ennuie !

Il s'était retenu de lui demander si les Papels ou les Balantes ou les Halpulaars ou les Soussous savaient mieux la distraire, puisqu'elle n'éprouvait manifestement pas de scrupules à raisonner à grands coups de louche, par peuplades entières.

Elle s'était levée.

Je dis à Nando de nous mettre de la musique, allez.

La sono passait *Sou*, du Bembeya Jazz. La voix de Demba Camara coulait avec une douceur merveilleuse, vagabonde, à peine soutenue par les guitares et le saxo. Si Couto avait eu à emporter une chanson dans sa tombe, il aurait peut-être choisi celle-là.

Parce que pour toi c'est pas de la musique, ça.

Elle avait fait une grimace dégoûtée.

I fyu. C'est moche.

Elle avait écouté plus longtemps, grimacé plus encore.

I muitu fyu.

Elle avait été râler auprès du dénommé Nando, s'était fait rembarrer. La chanson s'était terminée, Nando s'était penché sur l'ordinateur, avait cliqué sur un autre album.

Dès la première note Couto avait senti tout son être chamboulé. C'était le début de *Gardessi*. Les paroles d'Atchutchi. L'intro à la guitare de Tundu, les premiers accords tenus longtemps à la pédale, l'envol du morceau.

Nando, *i fyu*! avait gémi la fille près de lui, comme si vraiment sa souffrance devenait intolérable.

Nando n'avait rien répondu, s'était contenté de monter le volume de deux ou trois crans pour qu'elle se taise, pile au moment où la voix de Malan commençait à chanter.

Gardessi. Merci.

La chanson parlait d'une femme rencontrée pendant la guerre au Mozambique. Atchutchi la remerciait pour son amour. La remerciait pour le fils qu'elle lui avait donné et qui vivait toujours là-bas. Remerciait l'amitié entre les peuples d'Afrique qui lui avait permis de la rencontrer. Remerciait les grands hommes qui avaient rendu le continent à sa liberté, Samora Machel, Amílcar Cabral, Aristides Pereira, Julius Nyerere.

La fille était revenue vers Couto d'un air désolé. Lui avait dit quelque chose que la musique l'avait empêché de bien entendre.

Qu'est-ce que tu dis.

Il est nul. Il a que de la merde.

Moi j'aime, avait dit Couto.

Il avait fermé les yeux pour se laisser bercer.

Nom de dieu la guitare de Tundu était en train de lui foutre les larmes aux yeux.

La fille avait vu son visage heureux. De son petit lapement, elle avait pris une gorgée de bière et s'était tue pour le laisser savourer. Ça avait duré trente secondes, quarante peut-être pendant lesquelles elle n'avait rien dit, s'était simplement tue près de lui.

Il avait rouvert les yeux, l'avait vue en train de le regarder.

Merci.

Merci de quoi.

De t'être un peu arrêtée de parler, là tout de suite.

Tu trouves que je parle beaucoup.

J'ai jamais vu pire parleuse.

Elle s'était redressée dans sa chaise avec un sourire.

J'ai vu que ça te plaisait alors je me suis dit laisse, tais-toi. Quand je te disais que je vois tout.

La bouteille de Couto était vide. Il avait appelé la serveuse, redemandé deux bières.

Derrière, Malan continuait d'égrener les noms des pères du continent. Luís Cabral, Agostinho Neto, Sékou Touré. La pilule était raide, quand on voyait quels dictateurs la plupart étaient devenus ensuite. Saloperie d'Histoire qui n'aimait rien tant que se mordre la queue et vous faire tourner en bourrique.

Les bières étaient arrivées. Couto avait levé la sienne.

Au Mama Djombo, allez.

Non.

Au Mama Djombo, tu veux me faire plaisir ou pas.

Au Mama Djombo, allez.

Ils avaient trinqué. Couto avait bu plusieurs gorgées d'affilée. C'était glacé, c'était bon.

C'est moi qui le joue ce morceau, tu sais ça.

La fille l'avait regardé.

Qu'est-ce que tu racontes.

Enregistré à Lisbonne en 1980, je te jure. T'étais pas née.

Elle avait fait *ntchip*.

Le Mama Djombo c'est mon groupe, c'est mes frères, pour de vrai.

Ça veut dire que c'est toi qui joues là.

La guitare solo c'est Tundu. Mais les accords en soutien, c'est moi.

Elle avait écouté en souriant.

C'est pas vrai.

Si.

C'est toi qui joues ça, pour de vrai.

Oui je te dis! Pourquoi tu rigoles comme ça. Ça te plaît.

Elle avait ri et fait une grimace pire que toutes les précédentes.

Non!

Criant presque.

Naw, i fyu! C'est moche!

Elle avait tenté d'écouter un peu encore, comme pour vérifier ce qu'elle disait. Elle avait à nouveau éclaté de rire en secouant la tête, plus certaine que jamais de son fait.

Muitu muitu fyu.

Couto avait souri.

Moi j'aime.

Tout d'un coup une idée lui était venue. Il avait pris le sachet plastique déposé à ses pieds et en avait sorti un bout de tissu noir.

Et ça, regarde. Ça ça te plaît je parie.

La fille avait déplié le tee-shirt et lu Hard Core Side dessus. Elle avait fait un sourire énorme.

Tu les connais.

Bien sûr que je les connais.

Elle avait serré le tee-shirt contre sa poitrine.

Mes chéris! c'est mes chéris, eux, tu sais ça.

Moi aussi je sais tout, qu'est-ce que tu crois.

Thioume-C.

Elle avait dit le nom du chanteur avec un soupir, on aurait dit qu'elle était en train de lui faire l'amour.

Thioume-C tu le connais?

C'est mon pote Thioume-C, avait dit Couto.

Elle avait fermé les yeux pour se transporter en pensée dans les bras du rappeur. Serré les lèvres comme pour l'embrasser.

Il est *trop beau* Thioume-C.

Ils jouent ce soir.

À Lenox, je sais.

T'y vas pas.

Je sais pas, ça dépend de ce que tu fais toi.

Tu vas quand même pas laisser tomber Thioume-C pour un grand-père.

Il est rigolo mon grand-père. Beaucoup plus rigolo que Thioume-C.

Elle lui avait caressé doucement le poignet. Couto avait regardé ses doigts manucurés, vernis.

Il est mandingue, c'est ça qui m'embête.

Y a Mandingue et Mandingue, avait dit Couto avant d'avoir pu se mordre la langue pour se retenir.

Le morceau s'était terminé et Nando avait

tout de suite enchaîné sur un autre. Couto avait senti battre son cœur, reconnu la douceur des premières notes d'*Assalariado*. La longue intro des guitares, comme une ballade avant l'entrée des voix. Le phrasé de Dulce enfin qui arrivait, plus naïf, plus enfantin dans ce morceau que dans aucun autre.

> *Tudu dia media*
> *Tudu dia seti ora*
> *Nha omi ta sinta na mesa*
> *Ku si mon na kabesa*

> Tous les jours à midi
> Tous les jours à sept heures
> Mon homme s'asseoit à table
> Et se prend la tête entre les mains

Les dix pelés éparpillés dans le bar s'étaient levés. Couto avait senti comme une déflagration de joie en lui.

Ça j'aime, avait tout de suite dit la fille.

Elle s'était levée et s'était collée contre lui, s'était mise à onduler du bassin.

T'aimes pas le Mama Djombo et t'aimes ça.

J'aime pas le Mama Djombo mais j'aime Dulce.

Mais le Mama Djombo c'est Dulce !

La fille avait souri d'un air de s'en foutre royalement.

Dulce sa voix elle est *trop belle*.

Thioume-C il est *trop beau* et la voix de Dulce elle est *trop belle*, c'est ça.

La fille avait éclaté de rire.

Couto avait hésité une fraction de seconde.

Dulce c'était mon amoureuse.

Le sourire avec lequel il n'avait pu s'empêcher de dire ça. La fille avait ouvert des yeux ravis.

Pour de vrai?

Pour de vrai.

T'étais l'amoureux de Dulce, c'est pas une blague, avait répété la fille hilare.

C'est pas une blague, avait dit Couto, et il avait vu qu'il renvoyait Thioume-C au récurage de chiottes pour la soirée au moins.

La fille l'avait serré plus fort. Nando avait encore monté le volume. Couto s'était senti ivre. Il n'avait plus distingué que les taches roses des ampoules, le néon du comptoir, les silhouettes des gens attablés. Plus senti que les jambes de la fille mêlées aux siennes. Il avait écouté la musique, s'était laissé aller aux va-et-vient de leurs bassins collés l'un à l'autre. Ils auraient été en train de faire l'amour que ça n'aurait pas été meilleur.

C'est vrai ce que tu disais tout à l'heure?

Ce que je disais quoi.

Qu'y a Mandingue et Mandingue.

C'est vrai.

Elle avait approché la bouche de son oreille.

Et on a le droit de savoir ce qu'ils font, pour que ce soit si différent.

Il avait ri. S'était senti bander furieusement.

Ces choses-là ça ne s'explique pas. Ça se fait.

Alors je veux qu'on me le fasse.

Il s'était dégagé.

Fais-le-moi allez.

Il avait vu les murs le sol vaciller, les tables les visages tournoyer. Senti sa vessie le brûler.

Faut que j'aille pisser.

Non reste.

Je reviens tout de suite.

Non reste attends.

Dehors il s'était déboutonné précipitamment, avait regardé le jet d'urine ruisseler contre le tronc d'un arbre, former entre les racines une flaque brillante. Le liquide chaud mousser au contact de la poussière, se répandre peu à peu. Le bord légèrement renflé de la flaque s'approcher jusqu'à quelques centimètres seulement de ses chaussures en noyant un à un les reliefs du sol, fétus d'herbes séchées, brindilles de bois, feuilles mortes, fourmis rattrapées dans leur course et englouties dans l'ourlet d'écume, ne reprenant vie qu'ensuite, la mousse résorbée, la flaque tout entière bue par le sol, plus rien ne demeurant au pied de l'arbre qu'une auréole sombre, quelques reflets sur les feuilles et les brindilles, une odeur un peu forte.

Il avait respiré. La nuit était claire, il faisait bon. Étouffée par les murs, la musique ne s'entendait plus qu'assourdie, lointaine.

Le téléphone avait vibré dans sa poche.

Vous avez un nouveau message.

Il l'avait sorti, avait vu l'écran : vingt-sept appels en absence. Vu l'heure.

Le concert putain.

Le rideau de l'entrée s'était ouvert, la fille était apparue. Dans la nuit sa minijupe était plus courte encore, ses épaules nues donnaient froid.

Qu'est-ce que tu fais.

Faut que j'y aille.

Elle l'avait enlacé, avait posé sa main sur la boucle de sa ceinture pour le retenir.

Ça te gêne qu'on nous voie. Tu veux qu'on aille ailleurs.

Les autres m'attendent, faut que je me grouille.

Qu'est-ce que je vais faire moi, si tu t'en vas.

Tu vas aller à ton concert à Lenox et tu seras très contente.

Elle avait dit oui en se marrant.

Couto avait sorti son billet de mille.

Tiens, pour les bières. Si tu préfères les garder pour toi, à mon avis t'auras pas tort.

Elle avait pris le billet.

Tu t'en vas pour de vrai, alors.

Ben oui.

Les autres veulent toujours me sauter dessus. Mais toi.

Moi quoi.

Toi tu t'en vas.

Y a Mandingue et Mandingue, je t'ai dit.

Oui.

Au moment de lui dire au revoir elle avait approché les lèvres de son visage. Couto avait senti leur odeur sucrée tout près des siennes. Baiser cette bouche. Baiser cette fille infernale, la baiser bien bien.

Tu m'as même pas dit ton prénom.

Tu me l'as même pas demandé.

Je te le demande.

Je m'appelle Fanda.

Merci Fanda.

Merci de quoi, on n'a rien fait.

Elle s'était détachée de lui pour qu'il la voie bien dans la nuit, cambrée sur ses talons, effrontée, formidablement désirable.

Y a pas que ton cul que tu donnes, tu sais ça.

On me demande jamais rien d'autre, mais si tu le dis.

Je te le dis.

Elle avait ri.

Parce que tu connais pas encore mon cul.

Couto s'était marré, avait filé dans la nuit.

En coupant entre deux maisons il avait heurté des genoux une bête endormie.

Bordel qu'est-ce que.

L'animal s'était affolé, l'avait bousculé en grognant. Couto était tombé.

En se relevant il avait posé la main sur une masse soyeuse. Reçu un souffle chaud dans le visage. La bête était haute, puissante. Ses muscles fermes sous la peau. Le passage entre les deux maisons s'était ouvert et dans le clair de lune Couto avait reconnu l'œil affolé d'un cochon dérangé dans son sommeil.

Debout sur ses pattes, l'animal le regardait fixement, énorme, acculé au tronc d'un bananier. Il respirait fort. Ses flancs se soulevaient et s'abaissaient dans le noir. Son œil brillait, ses soies luisaient doucement. Il ne bougeait pas.

Couto avait fait un mouvement pour se dégager. L'animal avait reculé, adossé au bananier. Le fût de l'arbre s'était incliné en chuintant doucement, les longues palmes bleues oscillant dans la nuit comme du caoutchouc.

Juste à ce moment son portable avait sonné.

Couto?

Esperança.

Il l'avait sentie soulagée. Comme si c'était tout ce qu'elle avait désiré en l'appelant : l'entendre, constater qu'il était toujours là, quelque part, bien vivant.

Il s'était senti heureux.

Esperança à qui je n'ai pas failli.

Esperança je t'aime, tu sais ça.

Son rire clair.

Moi aussi je t'aime Couto.

Il avait regardé la boue sur son jean.

Je t'aime monsieur Couto, tu m'entends.

Oui.

Couto qu'est-ce que tu fous, tu veux pas me dire.

Je suis là, dans la rue. Avec une saloperie de cochon qui vient de me renverser.

Esperança avait ri.

Peut-être que tu ferais mieux de nous rejoindre, alors.

En bruit de fond Couto pouvait entendre les accords de *Guiné-Cabral*. Le morceau par lequel commençaient tous les concerts du groupe.

Y a du monde ?

Comme y en a jamais eu chez Nunu.

Couto avait écouté les cris dans le combiné. Il avait cherché du regard le cochon dans la nuit. Le bananier était là, immobile devant lui, ses longues feuilles impassibles au bout de leurs tiges. À son pied l'animal avait disparu.

Au bout de la rue le Chiringuito brillait comme une bonbonnière. Les ampoules de couleur étaient allumées, Couto pouvait les voir maintenant, égayant la nuit. Bien avant la lumière il avait perçu le bruit, entendu les notes de guitare et de basse, reconnu au loin les paroles de *Na tchatcha li tchatcha*, nettement audibles par moments, poussées jusqu'à lui par le vent, de nouveau confuses l'instant d'après.

Il avait entendu le grésillement tout proche d'une radio, souri à l'instant où avait retenti dans la nuit le jingle de Radio Jovem suivi des mots d'Ivan et Binham annonçant la mort de Dulce. Souri d'entendre que le DJ enchaînait avec *Alma Cabral*, où la voix de la Kantadura s'envolait dès les premières mesures, caressante, lumineuse. *Entrada*, l'entrée, c'était le nom qu'Atchutchi donnait aux premiers mots qu'elle chantait. Pas l'attaque, l'entrée. Transition la plus douce qu'on pouvait concevoir entre le silence et le début d'une chanson.

C'était parti. La ville allait bouffer du Dulce pendant trois jours.

Couto avait hâté le pas. De seconde en seconde la voix de Binham lui était parvenue plus nette. Il avait deviné la liesse du public au bout de la rue, senti croître en lui l'excitation, monter dans ses jambes et dans tout son corps l'impatience maintenant de retrouver les autres, d'être à côté d'eux sur scène, d'avoir lui aussi sa guitare pour répondre à Miguelinho, Eliseu et Pitchetche.

Passé le petit kiosque bleu il avait vu les centaines de silhouettes massées autour du toit de tôle, la plupart agglutinées autour de la petite estrade, d'autres cantonnées à des postes d'observation plus éloignés, bord de goudron, margelle de caniveau, capots de voitures. Il avait vu les sourires aux visages, entendu les battements de mains, les batailles de cris. Garée le long du caniveau il avait failli éclater de rire en la reconnaissant : la couveuse de Nunu, toujours débordante de plumes, mais enrubannée de guirlandes qui lui donnaient l'air d'un gros bonbon de Lisbonne.

Il était passé entre les tables, avait aperçu Nunu radieux, reconnu Bruno assis avec des amis, reçu de tous côtés des bourrades affectueuses, alors grand c'est à cette heure qu'on arrive, qu'est-ce que tu foutais tout le monde te cherche, Atchutchi a pris la parole au début et où est-ce que tu te cachais tout le monde te réclamait sur scène, tout le monde t'appelait, Couto, Couto.

Il avait senti une main se poser sur son épaule.

Septimo. Rayonnant comme il ne l'avait jamais vu, pantalon bleu roi, chemise trois fois trop grande qu'il avait dû piquer à un fil à linge et raccrocherait le lendemain à l'aube.

Et puis il avait aperçu Esperança, de dos, appuyée contre une table, tout près de l'orchestre, portant un jean, la taille fine, les épaules légèrement découvertes. Il l'avait vue battre des mains et lancer par moments une acclamation aux musiciens. Se lever au refrain et se mettre à danser. Il était resté deux pas en arrière, l'avait regardée ondoyer devant lui, tendre les paumes ouvertes de ses mains en direction de l'orchestre, se laisser quelques secondes enlacer par un inconnu attiré vers elle, s'en détacher dès que l'homme était devenu trop insistant, reprendre sa danse solitaire. De derrière il avait vu un bout de son visage tourné vers l'orchestre, son sourire, sa bouche qui s'ouvrait pour chanter en riant, ses yeux qui se fermaient.

Esperança de grâce.

Il l'avait enlacée par-derrière, s'était collé contre elle.

Elle avait ri.

Couto tu m'as fait peur.

Elle avait tourné le visage vers lui en continuant de remuer doucement du bassin. Sa bouche s'était ouverte, ses lèvres étaient chaudes, son souffle très chaud, c'était bon.

Esperança *nha terra*. Esperança ma terre.

Esperança *nha tchom*. Esperança mon sol.

Du haut de l'estrade Binham avait aperçu Couto en contrebas, donné un coup de coude à Zé en continuant de chanter, Zé aussi avait vu Couto serré contre Esperança et sans que son visage trahisse la moindre surprise ses mains s'étaient mises à rouler de la caisse claire, à rouler très fort comme avant l'entrée en piste d'une vedette.

Couto avait senti le feu monter en lui, il savait que Zé était capable d'aller encore un bon moment crescendo alors il avait attendu, et tout le public s'était demandé ce que Zé annonçait comme ça, quel coup de canon allait partir, toutes les têtes s'étaient hissées pour voir, tous les yeux avaient cherché, et Couto pour répondre à l'appel avait fini par lever un bras, par lever l'autre pour que tout le monde le voie, il avait levé les bras comme un boxeur qui va monter sur le ring et s'était mis à trottiner en cercle devant l'estrade, à foulées de plus en plus rythmées, crescendo lui aussi, entouré de cris survoltés, il s'était rappelé avoir vu son pote le chanteur Atanasio faire ça trois semaines plus tôt et s'être demandé s'il lui serait jamais donné de frimer aussi éhontément, aurai-je jamais droit à une entrée pareille avait-il pensé et voilà que trois semaines plus tard à peine c'était son tour, je vais te la faire péter ta salle répétait tout haut Atanasio en courant de plus en plus vite en cercle et c'était exactement ce que pensait Couto à présent, on va tout te faire péter mon Nunu, tu nous as demandé d'envoyer la dynamite mon vieux tu vas être servi, il avait couru, couru de plus en plus vite en rond et atteignant enfin son comble la batterie de Zé s'était bloquée pile au moment où ses pieds s'étaient soulevés propulsés par le plus formidable bond de cabri qu'ait jamais fait vieux de son âge et porté par la respiration suspendue de tout le public il était resté un temps interminable en l'air, enfin il était retombé et on aurait dit que l'impact de ses pieds ranimait l'orchestre, le faisait redémarrer en trombe, rugir plus fort que jamais, Binham et Ivan criant dans le micro Coutooooooooooo! et déjà la guitare de Pitchetche enchaînant, déjà Miguelinho et Eliseu balançant le feu de joie de *Mortos Nega*, celui que la mort refuse, celui qui ne mourra jamais car le fétiche le protège et jamais les balles de l'ennemi ne l'emporteront.

Le public s'était levé comme un seul homme, ceux qui connaissaient Couto hilares, ceux qui ne le connaissaient pas se demandant avec un sourire béat qui pouvait bien être ce vieux qu'on accueillait comme ça.

Binham avait attaqué *Baliera*, la chanson de l'amour, connue pour faire pleurer tous les amoureux, avait enchaîné sur *Djan Djan*, la chanson de l'exil, connue pour faire pleurer tous les Guinéens tout court.

O nha terra
O Guineenses
Di ossante pursumidos
Abakatela na terra di djintis.

Ô mon pays
Ô Guinéens
D'avoir été trop présomptueux
Nous voilà échoués loin de chez nous.

Il y a des soirs où quand tu joues, avait dit
autrefois Couto dans une interview, tu sens que
ton esprit s'en va se promener. Tu es tellement
bien que tu t'en vas, ton esprit part faire un
tour ailleurs, s'en va visiter l'esprit des autres
musiciens, visiter les visages des spectateurs qui
sont là, tout près de toi, en train de sourire. Tu
sens que c'est bon, tu ne penses plus à rien, tu
n'écoutes plus ce que font tes doigts, tu regardes
simplement ceux qui jouent à côté de toi et tu
vois le sourire sur leur visage, tu n'as même pas
besoin de leur parler, simplement tu sais, tu vois
qu'eux aussi savent, c'est très bon.

Ce soir-là avait été un de ces soirs. L'esprit
de Couto s'était promené, était parti faire un
tour, visiter l'esprit de Miguelinho, visiter l'esprit de Zé, les sourires sur leurs visages à tous
n'avaient plus été les sourires de Couto ni de
Miguelinho ni de personne, simplement des
sourires de corps qui étaient bien. Couto avait
regardé Esperança devant lui et malgré les deux
mètres qui les séparaient ç'avait été comme s'il

dansait avec elle, il n'avait plus pensé à rien,
avait juste pensé que c'était bon, que la soirée
était belle et quand il était revenu à lui il avait
bien été forcé de constater que ce n'était plus
Djan Djan que jouaient ses doigts mais *Dissan na
mbera*, la chanson de Dulce, était-ce Pitchetche
qui sans prévenir avait entraîné tout le monde à
sa suite, en tout cas tout le monde avait suivi et
maintenant Pitchetche et Miguelinho et Eliseu
se déchaînaient et Couto s'était laissé bercer,
avait laissé ses yeux se promener sur les visages
bienheureux autour de lui, laissé tout son corps
vibrer d'entendre les centaines de bouches chanter à pleine voix la chanson de Dulce sue par
cœur, chanter le ras-le-bol des grosses voitures
et des nantis qui méprisaient le peuple, chanter
l'amour de Dulce qui n'était pas là et ne le serait
plus jamais.

Cela avait duré cinq minutes, et puis huit,
et puis dix, et puis Couto et Miguelinho et les
autres avaient bien dû se rendre à l'évidence,
admettre que cette chanson-là ne serait pas
facile à terminer, ils avaient essayé de ralentir
pour marquer la fin comme on le fait dans ces
cas-là, essayé de chanter le nom de Dulce dans
le micro pour la remercier tout là-bas où elle
était maintenant, *obrigadu Dulce* crié si fort qu'on
avait dû entendre la voix de Binham jusqu'à
l'autre bout de la ville mais même cela n'avait
pas marché, les gens étaient revenus au premier
couplet, avaient redoublé d'entrain comme pour
dire non, non la chanson de Dulce ne mourra

pas, et bientôt Couto et les autres n'avaient plus eu d'autre solution que de s'arrêter et de rester là abasourdis à regarder les visages continuer de chanter à tue-tête autour d'eux, à contempler Keba le vieux cuistot expert en marinade continuer d'attiser la claque de ses bras de vieil oiseau cabossé, la tête jetée en arrière, la boule de sa pomme d'Adam saillant dans la lumière des ampoules, le haut de ses épaules se soulevant d'un coup sec à chaque clap de la foule, pile sur le temps chaque fois, le reste de son buste impassible, les traits de son visage indifférents aux fous rires alentour, Keba le fada au cou de poulet déplumé, Keba le frappé continuant de chanter seul à tue-tête, *aaaaah dissan na mbera* en bombant le torse comme une poule et Keba Keba Keba s'étaient mis à scander les gens et Ivan avait fini par le prendre dans les bras comme beaucoup sans doute auraient voulu le faire à cet instant et mesdames et messieurs je crois que c'est le moment de faire une petite pause avait dit Zé au micro tandis que déjà les musiciens posaient leurs instruments et se congratulaient, recevaient les félicitations des amis, attrapaient une bière, s'asseyaient pour boire et manger et il avait fallu cinq bonnes minutes avant que Nunu et Miguelinho remarquent l'absence de Couto et se décident à demander à la cantonade si quelqu'un l'avait vu, Esperança s'empressant de les apaiser, disant il revient, il est juste allé faire une course, les mots les plus rassurants qu'elle avait pu trouver, chacun retournant à la dévoration de son assiette, aux cascades d'éclats de rire, Esperança seule continuant de suivre en pensée la silhouette de Couto disparu dans la nuit, de l'imaginer marchant sous la lune, son coquillage porte-bonheur en poche, mon meilleur avait-elle dit au moment de le lui donner, je t'ai mis le meilleur mon Couto, avec ça tu es tranquille même une roquette à bout portant ne pourrait pas t'avoir, même toute la rancœur de l'autre, même tout le noir de la nuit.

Couto le *dutur di biola*.

Couto le grand docteur de la guitare, comme d'autres étaient *dutur di bino*, *dutur di kaldu*, grands docteurs du pinard, grands docteurs du poisson bouilli.

Salut général c'est le *dutur* qui redébarque.

Salut chef c'est le *Dun*, le grand patron, *dun di ke*, grand patron de quoi, *dun di tudu*, grand patron de tout, grand patron d'absolument tout sur terre.

Salut c'est le *rei di fomi* qui revient te voir, le roi de la faim, le *musingheru* des bords de goudron, le vieux guitariste en hardes.

Il avait levé les yeux dans la nuit et reconnu devant lui la villa au loin. Il avait vu les lumières à l'étage, les militaires en faction devant le portail, les berlines garées sous les arbres, les chauffeurs en livrée debout sous la lune, attendant comme attendent les chauffeurs de tous pays, adossés à leur portière, impassibles, cigarette rougeoyante dans la nuit. Il avait serré machinalement le cauri d'Esperança dans sa poche.

Ke ku misti, qu'est-ce que tu veux.

Je dois voir Gomes.

Cela dit d'un ton si calme, si naturel que le militaire s'était aussitôt écarté pour le laisser passer.

Il s'était avancé entre les massifs de fleurs et le battement de son pouls avait accéléré, de chaque côté de lui il avait pu sentir les haies noires se dresser au-dessus de sa tête, l'envelopper de leur odeur de terre et de nuit, les feuilles le frôler de leurs lunules bleues.

Les marches du perron gravies il avait frappé à la porte, appelé pour demander si quelqu'un était là. Il était entré et avait trouvé le salon désert, le rez-de-chaussée sans un bruit. Comme si tout le monde avait fui, avait-il pensé en apercevant sur la table basse du salon deux verres à moitié pleins encore d'un liquide doré, une bouteille de whisky débouchée comme si celui qui venait d'en remplir les verres avait été emporté avant d'avoir eu le temps de trinquer avec son hôte. Comme si avait brusquement sonné l'heure dernière, faisant détaler les damnés paisiblement installés là à boire leur apéritif, emportant maîtres et domestiques dans une même fuite panique.

Puis il avait entendu des bruits à l'étage. Raclements de chaises, éclats de voix de plus en plus nets à mesure qu'il s'était approché de l'escalier. Deux têtes s'étaient penchées par-dessus la rambarde, demandant ce qu'il foutait là, et sans attendre il était monté rejoindre les porte-flingues à l'étage, avait pu voir leurs doigts se tordre nerveusement au bout de leurs mains à son approche.

Le général est en réunion, monsieur.

Je ne suis pas venu voir Gomes, je cherche Dulce.

Derrière la porte le ton était monté. Un homme s'était mis à parler avec colère.

Où est Dulce dites-moi avait insisté Couto et attendez ne bougez pas avait dit l'un des hommes, il était entré dans la pièce d'où venaient les éclats de voix et par la porte entre-bâillée Couto avait pu voir une vingtaine d'individus assis autour d'une grande table, la plupart en uniforme, reconnaître Gomes au milieu, le buste mince et raide, les épaules fines, le profil calme.

Il avait regardé l'homme se pencher à son oreille, Gomes incliner la tête pour mieux entendre et il va l'envoyer paître avait-il pensé, il ne peut que l'envoyer paître et déjà il lui avait semblé voir le profil de Gomes se froncer d'un air agacé, les décorations brodées aux poignets de son habit fendre l'air pour balayer les paroles du garde et le renvoyer au diable.

Mais Gomes s'était levé sans hésiter, était sorti de la salle pour venir lui serrer la main, cela sans la moindre surprise, comme s'il s'était attendu depuis le matin à sa visite.

Couto.

Général.

Il l'avait conduit jusqu'à une porte un peu à l'écart, l'avait invité à le précéder dans la petite chambre. S'était approché avec lui du lit où était allongée Dulce, entourée de fleurs, éclairée d'une bougie, le visage doré dans la lumière.

Couto je veux revoir les cannes à sucre en fleur.

Couto je veux redevenir jeune recommencer de chanter être belle comme autrefois sentir encore les regards posés sur moi les visages émus de me voir.

Ils étaient restés un moment côte à côte sans rien dire, simplement près d'elle, ensemble.

Je vous laisse avec elle, avait dit Gomes d'une voix simple, comme aurait dit un ami, comme si Couto n'avait jamais été un rival, n'avait pas continué de le hanter tout au long de ces années comme une sorte de fantôme douloureux, d'inavouable ennemi, brigadier de rien du tout qu'il aurait cent fois pu envoyer se faire tuer autrefois et qui au lieu de cela s'était lentement mué pour lui en grain de sable, quelque chose comme un caillou qu'il avait dû toute sa vie traîner au fond de sa chaussure.

Couto était resté seul avec Dulce, avait regardé son visage endormi parmi les fleurs, senti l'odeur d'encens lui gratter doucement la gorge. Il avait reconnu l'odeur du pot d'argile de sa chambre, odeur d'amour, odeur de mort. S'était senti honteux des images que cela réveillait en lui, mains d'Esperança impatientes, pressées de rassembler les braises au pied du lit pour y déposer une pincée de grains noirs. Mains pressées d'étreindre, de caresser, d'aimer. Mains de Dulce ouvertes, paisibles, on aurait dit qu'elles dormaient.

Dulce qui les avait tous rendus fous et qui maintenant était morte. Qu'il avait tenue dans ses bras et qui à présent était loin, inaccessible parmi ces fleurs lourdes, ces bougies d'autel.

Couto je voudrais tellement redevenir belle jeune vivante et chanter chanter comme autrefois quand les fleurs étaient blanches la musique neuve.

Ces mots qu'elle avait dits la dernière fois qu'il l'avait vue, assise à leur petite table du Baraka Bar, fatiguée déjà, les yeux cernés, lasse.

Couto je veux revoir les cannes à sucre de Paúl.

Ces mots comme une idée fixe.

Je veux revoir les fleurs blanches monter de toutes parts vers le ciel.

Parlant d'une petite maison du Cap-Vert où elle voulait partir se reposer, sur l'île de Santo Antão où étaient nés ses grands-parents. Une maison tout en haut de la vallée de Paúl, avait-elle dit, et elle avait essayé de lui décrire les arbres accrochés aux flancs des montagnes, les murs et les chemins de pierre volcanique comme des veines noires dans le paysage, le chatoiement des fleurs de cannes au fond des gorges comme une offrande duveteuse et blanche.

Répétant là-bas tu comprends je respire

Couto, là-bas tout d'un coup je peux voir plus loin que le premier bouquet d'arbres, je n'ai plus à chaque instant l'impression que le monde est plat comme dans ce pays de mangroves où les fleuves s'enroulent, où tout se dérobe, où même l'esprit finit par s'enrouler, s'envaser.

Ils avaient ri comme ils riaient toujours, bons camarades, tellement proches que même fatigués ils se retrouvaient instantanément.

Et puis elle était repartie.

En ressortant Couto avait trouvé le palier désert, la villa tout entière silencieuse, sans un bruit, comme abandonnée. La salle de réunion vide, le lustre allumé encore, les chaises dérangées, deux ou trois gobelets en plastique renversés par terre.

Il était redescendu, avait retraversé le jardin, replongé dans la nuit indifférente, égale.

Dehors la rue était vide, les voitures et leurs chauffeurs avaient disparu.

Le goudron brillait sous la lune, tourmenté, grumeleux, creusé par endroits de crevasses. Les feuilles des arbres bougeaient doucement dans l'air.

Au loin Couto avait entendu l'écho d'une sono, les exclamations d'une voix déformée par la distance, les réponses confuses d'une foule.

Lenox, avait-il pensé avec un sourire.

Thioume-C et le reste de la bande, et il avait pu les voir sur scène comme s'ils étaient là devant lui, avec leur déballage de chaînes et de bagouzes, leurs lunettes de tontons californiens, Thioume-C vociférant *come on bring the shit man* à l'adresse du DJ, *come on bring the bullet now what' you fuckin' doin'* de son accent américain appris dans les clips de Tupac, haranguant le public comme un marchand de foire, *come on Lenox is everybody here*, la salle acquiesçant d'un beuglement unanime, Thioume-C vociférant plus fort encore, *I don't hear you guys come on is everybody fuckin' here*, la salle braillant cette fois à assassiner tous les cardiaques à la ronde.

Il y avait eu un silence soudain et que peuvent-ils bien foutre s'était demandé Couto, est-il possible que la sono de Lenox ait lâché, il était resté à tendre l'oreille et il n'avait plus entendu le moindre bruit, on aurait dit que là-bas tout venait de s'éteindre, que les six mille spectateurs de Lenox venaient de se taire d'un commun accord, et alors seulement Couto avait compris, c'est exactement cela, avait-il pensé soudain, les six mille spectateurs de Lenox viennent de se taire tous ensemble, ils marquent une minute de silence à la mémoire de Dulce et effectivement la minute était passée et aussitôt après les basses d'un nouveau morceau avaient éclaté, la foule recommencé à crier, la musique déferlé plus joyeuse que jamais, portée à présent par ce que Couto n'aurait jamais pu prévoir et qui le bouleversait: la voix de Dulce ressuscitée, tantôt aérienne, gracile, tantôt grondante comme il ne l'avait jamais entendue, rauque comme une vraie voix de rappeuse, à rendre fous tous les gamins de la ville.

Foutus gosses surdoués, avait pensé Couto et continuant de marcher en écoutant cette Dulce inconnue il était arrivé dans une rue où les maisons étaient vieilles, certaines tellement mangées de mousse et d'humidité qu'on aurait dit leurs murs velus, pas seulement couverts de plantes mais plantes eux-mêmes, feuillages vivants.

Il avait entendu le crépitement d'une radio diffusant un morceau du Mama Djombo, aperçu le visage de Dulce sur l'écran d'un téléviseur posé au loin dans la cour d'une maison sans lumière, le quartier entier plongé dans le noir, le poste seul allumé comme si toutes les réserves d'électricité alentour lui avaient été sacrifiées, rectangle magique visible à deux cents mètres au milieu de la nuit.

Il avait encore marché et il avait senti une odeur de brochettes au cumin, deviné la présence un peu plus bas dans la rue de la cuisine bringuebalante de Moctar, table à roulettes que le minuscule Peul traînait tous les soirs jusque-là, chargée de plats qu'il restait ensuite à écouler toute la nuit. Autour de son gril les bancs de bois étaient combles, des hommes assis dans le noir attendaient. La seule lueur était celle des braises, le seul bruit celui de la viande qui grésillait, du jus qui ruisselait. Par moments Moctar enlevait quatre ou cinq brochettes du feu, les pinçait toutes à la fois dans une demi-baguette, tirait sur les tiges de métal pour en détacher les bouts de viande et les répartir dans le pain, déposait les tiges dans un saladier en fer-blanc où étaient déjà des centaines d'autres, demandait à l'homme penché vers lui ce qu'il voulait avec sa viande, sauce aux oignons, brisures d'œufs durs, hachis de foie aux herbes, piment, salade, mayonnaise, ketchup. L'homme répondait et la torche de Moctar s'allumait quelques secondes, éclairait tour à tour chacun des bols. Ses doigts piochaient dedans, fouillaient dans le faisceau comme de gros vers luisants de graisse. Puis la torche s'éteignait, Moctar déchirait une feuille de papier journal, roulait le sandwich dedans, le tendait à l'homme devant lui, attrapait le billet qu'en échange l'autre lui fourrait dans la paume.

Couto, avait dit Moctar.

Moctar, avait répondu Couto en s'approchant pour lui serrer la main et lui demander comment il allait, *kuma di kurpu* en créole, littéralement comment va le corps, à quoi Moctar avait répondu *kurpu sta bon*, le corps va bien.

Kurpu sta bon, c'était aussi ce qu'avait pensé Couto en songeant à ses propres vieux os, à sa propre carcasse qui ne tenait somme toute pas trop mal le coup malgré sa vessie et ses genoux bouffés d'arthrose.

Kurpu sta bon, et entendant l'accent peul de Moctar et humant l'odeur de ses brochettes il s'était rappelé les grillades d'un autre Peul, de Bubaque celui-là, le seul à servir encore à manger à l'heure avancée de la nuit où ils s'étaient décidés à ressortir dîner, Dulce et lui, le jour de leur fugue sur la petite île.

Il avait revu le soleil sur la plage ce matin-là, la chaleur déjà écrasante à onze heures, la mer paisible, comme harassée elle aussi, et eux deux qui avaient marché interminablement le long de la mer, lui se jetant de temps à autre dans l'eau tiède pour se rafraîchir tant bien que mal, elle semblant défier la chaleur, attendre que le soleil l'attise toujours plus.

Il avait revu l'après-midi entre les murs de la petite chambre, incapables l'un comme l'autre de se lever, n'en finissant jamais de se vouloir.

Et puis le soir était venu, et avec lui une pluie violente qui s'était mise à battre le toit de tôle au-dessus de leur lit, effrayante, drue comme si le ciel avait décidé de noyer l'île entière. Ils étaient restés à écouter l'orage, le grondement au-dessus de leurs têtes couvrant leurs voix, les obligeant à se taire et à attendre simplement là, parmi les draps défaits, comme des bêtes.

Enfin la pluie avait cessé et ç'avait été comme si le silence à son tour éclatait, prodigieux soudain, si profond qu'il leur avait semblé percevoir à nouveau chaque bruit dehors, recommencer d'entendre le ruissellement de l'eau dans les caniveaux, le coassement çà et là d'un crapaud ressuscité, le bruit partout dans la nuit des gouttes achevant de tomber des toits et des branches d'arbres essorées.

Ils avaient rouvert les volets et l'odeur du sol et des herbes détrempées était entrée avec la nuit dans la chambre, leur emplissant les poumons, fraîche comme si le village entier venait d'être lavé à grande eau, pas seulement les rues et les toits mais les hommes et les bêtes aussi, la tension de leurs muscles, les nœuds de tout leur être. Ils avaient sauté entre les flaques jusqu'à la seule gargote encore éclairée, franchi un minuscule rideau, s'étaient retrouvés nez à nez avec un petit Peul étonné de les voir, plus minuscule encore que Moctar, qui les avait fait s'asseoir autour de son unique table, s'était récrié par Allah lorsqu'ils avaient demandé une Crystal ou une Flag, leur avait apporté des canettes de jus et des sandwichs à la viande brûlants d'épices et d'oignons confits.

Ils étaient rentrés et avait-ce été l'effet de la pluie ou de l'amour, ils avaient dormi d'une traite, ne s'étaient réveillés que tard le matin, le soleil déjà haut dans le ciel.

Couto avait ouvert les yeux et l'avait vue, levée déjà, accoudée à la fenêtre dans une serviette de bain. Dulce apaisée devant le spectacle de la végétation gorgée d'eau, des tiges des bananiers craquantes de sève, des herbes et des fourrés vert acide, des arbres de la forêt qu'elle aimait, *po di konta*, l'arbre à perles, *po di sabon*, l'arbre à savon, *po di sangi*, l'arbre à sang.

Dulce, avait pensé Couto, et il s'était levé pour l'enlacer, il avait revu son sourire à le sentir contre elle, son sourire à nouveau sous la douche un peu plus tard, si on pouvait appeler douche les brocs d'eau qu'ils s'étaient lentement versés l'un l'autre sur les épaules et le visage, nus tous les deux sur le sol en béton, n'en finissant pas de regarder chacun l'eau ruisseler sur le corps de l'autre dans la lumière du matin, Couto refusant de voir ce moment finir, puisant toujours de nouveaux brocs au bidon d'eau de pluie, refusant de cesser jamais de contempler le corps de Dulce, ses yeux rieurs, ses épaules, ses fesses.

Naw, avait dit une voix de fille, et tournant la tête Couto avait aperçu une petite bande assise sur des tabourets autour d'un tas d'huîtres grillées. *Naw!* avait répété la fille et cette fois Couto l'avait vue éclater de rire et se décaler pour tenter d'éloigner de son voisin l'ordinateur posé sur ses genoux. Couto avait reconnu le morceau qu'ils écoutaient, un cabo sirupeux que le garçon s'était battu pour remettre au début, attrapant le bras de la fille et l'immobilisant le temps d'atteindre le clavier et d'enfoncer, du bout de son index noir d'éclats d'huîtres, la touche voulue.

Le port n'était plus très loin et arrivant dans les rues du centre Couto avait entendu monter de toutes parts le bourdonnement des clims et des groupes électrogènes, vu les barbelés aux murs des villas, les rideaux de fer aux devantures des magasins, doublés le plus souvent d'un ou deux de ces vigiles en tenue marron et jaune qui pullulaient désormais là, chiens de garde incontournables de la moindre banque, du moindre club, invariablement vêtus du costume de la société de sécurité privée qui monopolisait les contrats, invariablement somnolents, mous, inutiles, sans autre raison d'être que le caprice de volontés supérieures qu'il n'était pas dans les habitudes du pays de contrarier.

Il était passé au large de l'hôtel Calliste et du casino, avait aperçu les rangées de voitures aux vitres teintées, la salle de jeu où sitôt franchie la double porte il fallait affronter les regards braqués sur soi, les visages inquisiteurs. Il avait essayé d'imaginer l'affluence peut-être moindre autour des tables ce soir-là, putsch oblige, mais peut-être pas : puisqu'il était de toute façon impensable que tous ne soient pas depuis longtemps au courant de ce qui allait arriver – puisque c'était précisément le but du putsch, leur permettre de continuer à se réunir paisible-ment chaque soir entre ces mêmes murs, autour de ces mêmes tables de jeu.

Il avait aperçu du côté de la caserne des files de chars et de camions de troupes char-gés d'hommes aux têtes casquées, immobiles dans l'obscurité, fusil à l'épaule, buste harna-ché d'équipements qui leur donnaient l'air de scarabées empesés, si nombreux et impassibles que leurs silhouettes vues de loin semblaient de carton, dépourvues d'épaisseur, incapables de s'animer, installées là moins en vue d'un affron-tement véritable que pour donner un semblant de crédit à une opération dont tout le monde savait déjà l'issue.

Il avait pensé à José Pedro, à Lourenço, au

petit Pitche, s'était demandé s'ils avaient trouvé à s'enrôler. À Gomes qui dans quelques heures prendrait la parole à la radio nationale et jouerait son rôle de salaud jusqu'au bout, tenterait d'expliquer au peuple qu'il n'avait agi que pour son bien, jugeant la situation du pays décidément trop préoccupante, cela comme tous les autres avant lui, avec les mêmes mots, la même gravité impuissante à duper qui que ce soit.

Couto était encore descendu vers le fleuve, avait doublé le dernier rideau d'immeubles et alors il avait senti le vent forcir, l'odeur de vase et de mangrove lui fouetter le visage. Il avait vu devant lui l'eau du port impassible dans la nuit, contemplé son étendue sans une ride, mangée sur les bords par un tapis grumeleux qu'on sentait affamé, proliférant, manteau de feuilles charnues et craquantes, de tiges élastiques, de bulbes caoutchouteux qu'il savait être des nénuphars, lestés de tout ce que le bassin recevait de détritus, d'ordures, d'emballages plastique venus se prendre là comme aux mailles d'un filet.

Il avait longé la corniche dévorée de mauvaises herbes, doublé les façades aux balcons croulants, senti la rumeur de la ville refluer, rester en arrière.

Plusieurs fois il s'était retourné, comme on se retourne instinctivement, avec l'impression que quelqu'un nous suit, se faufile d'un poteau électrique au suivant, reste à nous guetter de derrière un pan de mur. Il n'avait rien vu que l'écart d'un chien fouillant dans les poubelles, la roulade d'une bouteille en plastique le long d'un trottoir.

Enfin le wharf avait été là, avec son enceinte fissurée de brèches qui en rendaient la surveillance presque inutile, sa plate-forme éclairée de projecteurs laissant tomber du haut de leurs longs mâts une lumière uniforme et jaune. Il avait levé la main en guise de salut au gardien, s'était engagé entre deux haies de containers hautes comme des immeubles, avait vu dans une allée un chien jaune endormi, dans une autre un vieux bulldozer rouillé, plus loin encore un groupe d'hommes assis sur des couvertures, affairés à se masser les pieds à la lumière des projecteurs, jaunes comme le reste, eux et la plante de leurs pieds.

Il avait continué de marcher et bientôt les derniers containers étaient restés en arrière, il avait senti les embruns et le vent l'envelopper, l'odeur de vase et d'iode lui emplir les poumons. Près d'un vieux chalutier rouillé il avait vu un pêcheur debout au bord du vide, un filin à la main. Juste au moment où il passait l'homme s'était arc-bouté, avait tiré sur la ligne pour la ramener. Le fil avait résisté, ne s'était laissé reprendre que mètre par mètre, avec effort. Enfin des éclats d'argent étaient apparus à la surface de l'eau en contrebas et le poisson avait jailli, continuant de se débattre au bout du fil, nageoires ruisselantes, immense, si grand et brillant dans la nuit que le pêcheur était resté plusieurs secondes à le regarder avant d'oser en approcher la main.

Tout au bout le quai tombait à pic dans l'eau noire, plusieurs mètres en contrebas.

Là il n'y avait plus ni margelle ni rambarde.

Plus rien que le fleuve, la houle, le vent.

Couto s'était retourné et il avait vu les piles de containers déjà loin derrière lui, le quai de Pidjiguiti endormi tout là-bas, les immeubles plongés dans le noir.

Des rafales d'automatique avaient retenti près de la caserne, espacées, sèches, sans grande conviction. Un tir de roquette avait fendu la nuit, s'était écrasé du côté de la présidence. D'autres détonations avaient éclaté un peu plus haut, quelque part sur l'avenue Amílcar Cabral, parmi les bâtiments ventrus des ministères.

I muri, avait pensé Couto et il avait écouté le crachotement des mitrailleuses, regardé les obus dérisoires dessiner dans le ciel des arcs lumineux qui auraient pu être ceux d'une fête. *I muri gosi*, elle est morte maintenant, et il n'avait su si c'était à Dulce qu'il pensait ou à la ville éclairée de tirs de roquettes, aux espérances d'une époque qui finissait.

Alors seulement il l'avait vu, debout comme lui au bord du vide, tout proche, le touchant presque, bec calé sur le ventre, paupières closes, immobile depuis le début, colossale masse de plumes et de chair qu'il avait jusque-là prise pour une borne. L'animal avait soulevé son énorme bec et s'était tourné pour se mettre à chercher entre les plumes de son dos, fourrageant sous les rémiges, poursuivant nerveusement un insecte niché dans le matelas de son plumage. Il avait fini de se gratter et sa petite prunelle placide s'était posée sur la silhouette de Couto, était restée à la fixer, étonnée de sa présence. Il avait cligné deux ou trois fois de l'œil pour s'assurer qu'il voyait bien. Puis le sommeil avait repris le dessus et sa paupière s'était refermée.

Couto s'était vu là, au bout de la jetée, à pic au-dessus de l'eau noire, jambes tremblantes encore à côté du pélican rendormi, sa longue silhouette offerte à la nuit indifférente à tous les coups d'État de la terre, à toutes les roquettes que tous les Gomes feraient jamais tirer contre leur peuple.

En face le fleuve était vaste, le ciel haut.

L'étendue noire luisait. Tout était calme.

Une barque revenait lentement de Djiu di Rei, l'île du Roi, le triangle de sa voile posé sur l'eau.

La plupart des personnages de ce roman existent réellement. Les faits qui leur sont prêtés sont imaginaires.

Exception faite de Couto, qui n'existe que dans ces pages, tous les musiciens du Super Mama Djombo ici évoqués ont joué ou continuent de jouer pour le groupe.

Le personnage de Dulce est imaginaire et n'a de la grande Dulce Neves que le nom et la voix. La vraie Dulce Neves vit et chante toujours. Elle n'a jamais épousé de général, encore moins de chef d'état-major putschiste.

Atchutchi, Miguelinho, Zé, Ivan, Binham, Pitchetche, Karyna, Eliseu vivent toujours à Bissau. Malan et Djon vivent en France, Serifo à Ziguinchor, Tundu à Lisbonne, Armando et Wyé à Bruxelles, Lamine à Abidjan. Violemment passé à tabac lors de la guerre civile de 1999, Chico est mort en 2002.

Les musiciens du Super Mama Djombo des années 1977-1981 se nommaient : Adriano Gomes Ferreira dit « Atchutchi » à la composition ; Adriano Fonseca dit « Tundu », Cesário Miguel Frederico Hoffer dit « Miguelinho », Djon Motta et Serifo Banora aux guitares ; Francisco Martins dit « Chico Karuca » à la basse ; Dulce Neves, António Malan Mané, Cesário Morgado dit « Ntchoba », Lamine Baldé, Carlos Baba Kanouté et Herculano Pina Araújo au chant; Armando Vaz Pereira et Joãozinho Sambu aux percussions; José Manuel Fortes dit « Zé Manel » à la batterie.

Parmi ceux du Mama Djombo nouvelle génération, réunis en 2002 pour l'enregistrement de l'album Ar puro aux studios Sundlaugin d'Helsinki, avec l'aide de Brian King, on compte notamment: Adriano Gomes Ferreira dit « Atchutchi » et José Manuel Fortes dit « Zé Manel » à la composition; Cesário Miguel Frederico Hoffer dit « Miguelinho » au saxophone et à la guitare; Fernando Pitchetche et Jamil Correia aux guitares; Valdir Delgado à la basse; Binhanquinhe Quimor, Ivanildo Barbosa, Dulce Neves, Tino Trimo et Karyna Silva Gomes au chant; Armando Vaz Pereira et Joãozinho Sambu aux percussions; José Manuel Fortes dit « Zé Manel » à la batterie.

La Guinée-Bissau a connu le 12 avril 2012, à quelques jours du second tour de l'élection présidentielle qui devait porter au pouvoir le candidat Carlos Gomes Junior, partisan d'une refonte de l'armée, un coup d'État militaire dont tous les observateurs pressentaient l'imminence.

Ce livre n'aurait jamais vu le jour sans les moments passés avec Serifo, Ivan, Pitchetche, Binham, Zé, Miguelinho et Brian à Bissau et Ziguinchor, avec Malan et Djon à Montreuil et Saint-Denis. Que tous soient ici chaleureusement remerciés.

DU MÊME AUTEUR

Aux Éditions Gallimard

LÀ, AVAIT DIT BAHI, coll. « L'Arbalète », 2012.

LES GRANDS, coll. « L'Arbalète », 2014 (Folio n° 6177).

LÉGENDE, coll. « L'Arbalète », 2016.

Chez d'autres éditeurs

LES MATINÉES D'HERCULE, Serpent à plumes, 2007.

L'AFFAIRE FURTIF, Burozoïque, 2010.

AFRICAINE QUEEN, Le Tigre, 2010.

TANGANYIKA PROJECT, Léo Scheer, 2010.

LA VIE DANS LES ARBRES, *suivi de* SUR LES BIDON-VILLES, LES CABANES ET LA CONSTRUCTION SAUVAGE, Le Tigre, 2011.

Traductions

John Reed, *Pancho Villa*, Allia, 2009.

Ngugi wa Thiong'o, *Décoloniser l'esprit*, La fabrique, 2011.

Composition PCA/CMB
Impression Novoprint
à Barcelone , le 20 juillet 2016
Dépôt légal : juillet 2016

ISBN 978-2-07-079351-8./Imprimé en Espagne.